OS MITOS GREGOS E ROMANOS

Kestner Museum, Hanover

Museu Arqueológico Nacional, Nápoles

OS MITOS GREGOS E ROMANOS
UM GUIA DAS NARRATIVAS CLÁSSICAS

PHILIP MATYSZAK

Museu do Louvre, Paris

Tradução de Camila Aline Zanon

Petrópolis

© 2010, Thames & Hudson Ltd, Londres.
Tradução publicada mediante autorização de Thames & Hudson Ltd, Londres

Tradução do original em inglês intitulado *The Greek and Roman Mythys. A Guide to the Classical Stories*

Direitos de publicação em língua portuguesa – Brasil:
2022, Editora Vozes Ltda.
Rua Frei Luís, 100
25689-900 Petrópolis, RJ
www.vozes.com.br
Brasil

Todos os direitos reservados. Nenhuma parte desta obra poderá ser reproduzida ou transmitida por qualquer forma e/ou quaisquer meios (eletrônico ou mecânico, incluindo fotocópia e gravação) ou arquivada em qualquer sistema ou banco de dados sem permissão escrita da editora.

CONSELHO EDITORIAL	PRODUÇÃO EDITORIAL
Diretor	Aline L.R. de Barros
Volney J. Berkenbrock	Marcelo Telles
	Mirela de Oliveira
Editores	Otaviano M. Cunha
Aline dos Santos Carneiro	Rafael de Oliveira
Edrian Josué Pasini	Samuel Rezende
Marilac Loraine Oleniki	Vanessa Luz
Welder Lancieri Marchini	Verônica M. Guedes
Conselheiros	**Conselho de projetos editoriais**
Elói Dionísio Piva	Luísa Ramos M. Lorenzi
Francisco Morás	Natália França
Gilberto Gonçalves Garcia	Priscilla A.F. Alves
Ludovico Garmus	
Teobaldo Heidemann	*Editoração*: Rafaela Milara
	Diagramação e capa: Do original
Secretário executivo	*Arte-finalização de miolo*: Sheilandre Desenv. Gráfico
Leonardo A.R.T. dos Santos	*Revisão gráfica*: Nilton Braz da Rocha
	Arte-finalização de capa: Editora Vozes

ISBN 978-65-5713-653-9 (Brasil)
ISBN 978-0-500-25173-7 (Reino Unido)

Este livro foi composto e impresso pela Editora Vozes Ltda.

Dados Internacionais de Catalogação na Publicação (CIP)
Câmara Brasileira do Livro, SP, Brasil)

Matyszak, Philip
   Os mitos gregos e romanos : um guia das narrativas clássicas / Philip Matyszak; tradução de Camila Aline Zanon. – Petrópolis, RJ : Vozes, 2022.

   Título original: The greek and roman myths

   3ª reimpressão, 2024.

   ISBN 978-65-5713-653-9

   1. Mitologia grega 2. Mitologia romana I. Título.

22-116424   CDD-292.13

Índices para catálogo sistemático:
1. Mitologia greco-romana : História   292.13

Cibele Maria Dias – Bibliotecária – CRB-8/9427

Sumário

Introdução:
O que são os mitos gregos e romanos?
Por que vale a pena estudá-los? 6

1 No início:
do caos ao cosmo em quatro passos 9

2 Os filhos de Pandora:
a história humana 25

3 Os grandes deuses:
a primeira geração 50

4 Olimpo:
a próxima geração 77

5 Deuses menores, criaturas
mágicas e heróis ancestrais 109

6 Os heróis e suas missões 126

7 A era de ouro da mitologia 148

8 A Guerra de Troia 175

9 Viagem para casa 200

Leituras adicionais 221

Índice 223

Sobre o autor 226

❧ Introdução ❧

O que são os mitos gregos e romanos? Por que vale a pena estudá-los?

Se os mitos gregos e romanos não passassem de um conjunto de narrativas sobre transformações mágicas e deuses brigões, haveria pouca razão para lê-los. Para começar, há um número enorme de tais mitos, todos cheios de nomes e genealogias confusas. Por que precisamos conhecê-los e por que devemos nos importar?

Devemos nos importar porque os mitos descrevem a visão de mundo dos antigos: os arquétipos de heróis, de vítimas femininas e de deuses poderosos, embora assustadoramente arbitrários, formaram o modo como os gregos e os romanos viam a si mesmos e a sua relação com o universo. De fato, muitos desses arquétipos são tão potentes que ainda estão em uso hoje em dia. Quando psicólogos (que compartilham seu nome com Psiquê, uma princesa mítica) se referem ao complexo de Édipo ou a um narcisista, estão usando esses arquétipos, pois os mitos nos quais figuram Édipo e Narciso descrevem certos aspectos da condição humana de forma tão efetiva que eles nunca foram ultrapassados.

Isso nos leva a uma razão adicional para ler os mitos: essas narrativas têm sobrevivido por quase três mil anos não porque são paradigmas culturais, sequências temáticas de "motifemas" (ou qualquer palavra da moda que os acadêmicos prefiram no momento), mas porque, ao fim, elas são narrativas influentes e imensamente aprazíveis.

O mundo da mitologia nem é tão caótico quanto parece à primeira vista. Muitas das histórias têm um tema em comum: heróis são afligidos, mas recebem dons e poderes compensatórios; moças sofrem de amor, mas são, por fim, recompensadas. Os contos mais sombrios nos narram que os inexoráveis fios – tecidos, medidos e cortados pelas Moiras – determinam o destino de todos, e o objetivo do exercício é encarar aquele destino com coragem e nobreza.

INTRODUÇÃO

Há, também, um tema abrangente em relação aos mitos, que nos conta, apesar dos conflitos, dos desacordos e dos mal-entendidos, que os deuses, os semideuses e os humanos permanecem unidos contra os monstros e os gigantes que representam as forças da desordem e da destruição arbitrária. Enquanto narrativas modernas contam, com frequência, sobre o triunfo do bem contra o mal, o embate antigo era aquele da civilização e da racionalidade disputando contra a barbárie e o caos. Em última instância, os mitos narram sobre trazer valores humanos a um universo arbitrário e hostil. É por isso – enquanto o ódio cego, a destruição aleatória e a irracionalidade às vezes parecem obter vantagem no mundo de hoje – que os antigos mitos não perderam nada de seu poder.

Este é um guia para compreender a herança de narrativas e crenças em comum que uniram o mundo grego e o romano. A obra tem três propósitos principais:

⫷ APRECIAR UMA VISTA MAIS AMPLA ⫸

Sob muitos aspectos, há somente um mito clássico em seu sentido mais amplo. Essa é uma história construída pelo curso de mais de um milênio, começando antes de 800 a.c., com memórias e contos populares da Grécia, arrematados pelos escritores romanos no século II d.C. É a maior narrativa colaborativa já contada e ainda mais causadora de admiração por ser o esforço coletivo de duas culturas diferentes. O resultado é uma história enorme e itinerante com numerosos subenredos e milhares de personagens, embora com uma narrativa básica, com protagonistas claros e um começo, um meio e um fim.

Um dos propósitos deste livro é, portanto, permitir ao leitor ter uma visão do mito como um todo, como uma história que era familiar a cada criança grega e romana.

⫷ ENTENDER O CONTEXTO ⫸

Este livro tem, ainda, outro propósito, pois, para que seja um verdadeiro guia, deve explicar não apenas as histórias, mas também como as pessoas da Antiguidade as entenderam. Precisamos adentrar na mente dos gregos e dos romanos e ver seu mundo e seus deuses como eles os viram. Precisamos imaginar o ponto de vista de um grego ou de um romano que está prestes a ouvir um determinado mito pela primeira vez. Aqui, você descobrirá o pano de fundo, a maioria dos protagonistas e suas personalidades, o ponto em que uma narrativa em particular se encaixa na história geral e como entender a motivação daqueles envolvidos. Porque esses mitos são a base das grandes tragédias de Eurípides, Sófocles e outros, entendê-los é apreciar de maneira ainda mais profunda as obras monumentais da cultura ocidental que tais tragediógrafos produziram.

⇥ Ressonâncias modernas ⇤

Por fim, esses mitos são tão potentes e estão arraigados tão profundamente na consciência ocidental que nunca foram embora. Eles têm inspirado incontáveis pintores, escultores, compositores e escritores desde a Renascença, e, por isso, o recurso dos boxes de texto nesta obra destaca a vida pós-clássica de cada mito. Além disso, em nosso próprio tempo, usamos linguagem e manuseamos objetos associados aos deuses antigos, muitas vezes totalmente inconscientes do fato. Este livro traz muitas das alusões a mitos que brotam na vida moderna – em geral, em contextos totalmente inesperados –, e, ao fazer isso, espera-se que o leitor compreenda não apenas o mundo clássico, mas também o moderno.

As fontes a partir das quais este guia foi compilado abrangem desde as obras de Homero e Virgílio até os menos conhecidos Hesíodo e Ovídio, passando por poetas líricos como Baquílides e Píndaro, bem como pelos hinos órficos. Quando houve algum desacordo entre as fontes (especialmente sobre quem deu origem a quem), a tendência foi a de acompanhar aquelas que permitem a construção de uma narrativa sem remendos, embora algumas das dissonâncias mais chocantes sejam apontadas para aqueles leitores que querem se aprofundar.

1

No início:
DO CAOS AO COSMO
EM QUATRO PASSOS

Para os gregos e para os romanos, o mundo começou claro, puro e novo. Como ocorre com muitas coisas novas, havia um grande grau de desordem, mas também uma imensa vitalidade e energia. Aqueles que viveram mais tarde, no período clássico, consideravam que a era de ouro havia acabado e seu universo era relativamente ordenado apenas porque lhe faltava a selvagem exuberância da juventude.

O nascimento do mito

Do mesmo modo que os romanos acreditavam que os ursos recém-nascidos não tinham uma forma até que a adquirissem sendo lambidos por suas mães, foram os grandes contadores de história da Antiguidade, de Homero a Virgílio, que moldaram as narrativas incipientes do mito grego e romano naquilo que se tornou sua forma tradicional. As páginas seguintes falam da criação, principalmente sob o formato conferido por Hesíodo em torno de 720 a.C. Sua versão, chamada *Teogonia*, tornou-se, para os gregos e os romanos, a história da criação do universo mais amplamente aceita (mas não a única).

PASSO 1
TEORIA DO CAOS

*Antes de haver terra ou mar ou céu que
cobre tudo, toda a natureza era a mesma
por todo o mundo. [Era] o que chamamos caos;*

NO INÍCIO

uma massa bruta e confusa, nada além de matéria inerte,
átomos discordantes de coisas mal juntadas,
tudo misturado no mesmo lugar.
OVÍDIO, METAMORFOSES, *1.10SS.*

Primeiro, tudo era Caos. O tempo, o firmamento, a terra, os céus e as águas estavam todos misturados, e não havia razão nem ordem nessa mistura. Caos era infinito e escuro, um abismo escancarado no qual a confusão de elementos que mais tarde formaria o mundo estava em queda eterna. Caos continha todas as coisas que haviam de existir, embora nenhuma delas ainda existisse de forma organizada. Ele era, conforme os seguidores de Orfeu o descreveram mais tarde, "o ovo do mundo". Foi aqui, no imensurável espaço antes que o tempo existisse, que certas forças começaram a tomar a forma que se tornou as primeiras entidades organizadas no universo. Elas eram os quatro maiorais: Eros, Gaia, Tártaro e Nix/Érebo. Cada entidade divina dentre as milhares e milhares nas eras vindouras descenderia dessas quatro.

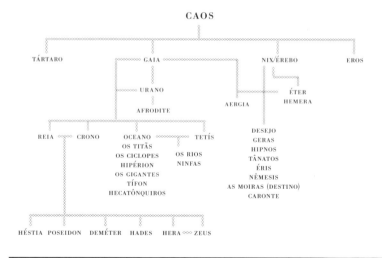

ÁRVORE GENEALÓGICA SIMPLIFICADA DOS PROTODEUSES

Eros

O primeiro a emergir do Caos foi o protodeus Eros (Amor). O Eros primordial era uma força poderosa, sem dúvida a maior de todas, pois, sem Eros, os outros seres que surgiram do Caos teriam permanecido estáticos e imutáveis, eternos, mas estéreis. Eros incorporava não apenas o amor, mas também todo o princípio reprodutivo. Em épocas posteriores, ele teria muitas de suas prerrogativas distribuídas a outras divindades e se tornaria o fofinho Cupido dos tempos romanos. Mas é importante lembrar, por meio das narrativas ocasionalmente pavorosas a seguir, que o universo do mito foi criado por meio do Amor.

Arquivos Alinari
Eros e seu poderoso arco.

ARTE E CULTURA POSTERIORES:

EROS

O famoso quadro *Eros triunfante* (1602), de Caravaggio, mostra Eros como um jovem indecente com um sorriso irresistível, de postura zombeteira em relação às áreas de atuação humana (simbolizadas por uma armadura, um alaúde e uma bússola, dentre outros itens), postos de lado por seu poder. A estátua mais famosa de Eros é, de longe, a que tem sido um ponto de referência em Londres, no Picadilly Circus, desde 1893 – embora o escultor Alfred Gilbert, na verdade, tivesse a intenção de que a estátua fosse uma divindade que acompanha Eros chamada Anteros, ou "amor correspondido". Essa foi uma das primeiras estátuas moldadas em alumínio.

Gaia

A primeira entidade sobre a qual Eros lançou sua magia foi Gaia, a Terra, pois apenas a Terra é capaz de trazer coisas à luz de si por si mesma – um princípio conhecido dos gregos antigos e do homem moderno igualmente como partenogênese, ou "nascimento virgem". Assim, diz Hesíodo, "sem a doce união amorosa", Gaia, a partir de si mesma, deu à luz Urano, que era o céu (Caelus, para os romanos), e Ponto, as águas.

Tártaro

Esse era o oposto sombrio de Gaia. Enquanto esta era fértil e viva, Tártaro era infértil e morto. Em épocas posteriores, Tártaro seria a prisão de gigantes e monstros (humanos ou não) poderosos ou perigosos demais para caminhar sobre a terra. Mesmo Eros não podia fazer nada com Tártaro, que não produziu nenhum rebento.

Nyx

Eros tinha mais facilidade com Nix, "a noite de asas negras", que já apresentava certa dualidade, sendo também Érebo, a noite do Tártaro. Por meio de Eros, Nix e Érebo se uniram para produzir Hemera, que se tornou Dia, e Éter, que se tornou o firmamento, o ar superior, a respiração dos deuses e o limite entre Tártaro e Gaia. (Éter era uma das forças primordiais do universo, mas não particularmente criadora, portanto, não é surpresa que, quando mais tarde se juntou a Gaia, seu rebento tenha sido Aergia, a deusa da preguiça.) Com o nascimento dessas entidades, os fundamentos básicos do universo estavam completos.

⇥ Passo 2 ⇤
O Big Bang: a linhagem de Gaia e Urano

De Gaia cantarei, mãe de todas as coisas,
de raízes profundas e a mais velha, que nutre tudo.
"HINO HOMÉRICO", 30.

A dupla dinâmica do início do universo era Gaia e seu "filho" Urano: a terra e o céu. Como seus colegas protodeuses, Gaia não era humana em pensamento ou natureza, e cada força agia sobre a outra sem levar em consideração conceitos humanos como as relações de mãe e filho ou incesto. Era suficiente que Gaia fosse o elemento feminino e Urano, o masculino, que toda noite cobria a terra com seu estrelado esplendor. Claro, não havia medida de tempo durante o qual isso acontecia, pois o tempo ainda não havia nascido, e Caos, do qual as quatro forças primordiais surgiram, ainda permanece entre a terra e o firmamento. Como bem sabemos, o caos nunca foi embora por completo.

Gaia hoje – Literalmente, em todo lugar

Gaia é mais conhecida, hoje, pela hipótese Gaia, que postula que a terra é, na verdade, um único organismo vivo. Como resultado, o nome Gaia é, atualmente, usado em tudo, desde programas de governo a salsichas vegetarianas.

Entretanto nossos dicionários conhecem Gaia melhor em seu aspecto de Ge (para aspectos, cf. p. 23), a Terra. Uma imagem (*graphe*) de Ge resulta na geografia, também temos satélites geostáticos e estudos geográficos. O estudo dos ossos de Gaia resulta em geologia, e a medida da terra nos dá a geometria. Aqueles agricultores que trabalham a terra – *ge-eurgos* – nos deram o nome de George e os dois estados da Georgia.

Urano hoje

Urano é mais conhecido, hoje, como o sétimo planeta do sistema solar. Na verdade, o planeta era desconhecido dos antigos, tendo sido descoberto apenas em 1781, e foi, por coincidência, nomeado, originalmente, em homenagem ao Rei George, que, como vimos, tinha Gaia, a consorte de Urano, como origem de seu nome.

O elemento metálico urânio foi descoberto logo depois e recebeu seu nome como um tributo à descoberta do planeta. Do mesmo modo que se acreditava que Urano era o último dos planetas, também se acreditava que urânio era o último dos elementos.

Os Titãs

A união de Gaia e Urano foi frutífera e produziu uma horda de criaturas conhecidas coletivamente como Titãs. Eles assumiram formas variadas. Muitos eram monstruosos e, sendo imortais, sobreviveram para atormentar a humanidade em épocas posteriores. Outros foram integrados no esquema do universo enquanto continuava a tomar forma e se tornaram indispensáveis a seu funcionamento adequado. Dentre esses últimos estava Oceano, que personificava o rio-mundo fluindo em torno de Ge inteira ou, mais propriamente, em torno da massa de terra da Eurásia e do norte da África, que é tudo o que os antigos conheciam da terra. Havia também Mnemosine, mãe das Musas, e Hipérion, de quem, por sua vez, nasceram Hélio (o sol), Selene (a lua) e Eos ("a aurora de dedos róseos").

Os Titãs hoje

Titã é uma enorme lua de Saturno e um substantivo comum (titã), do qual origina um adjetivo (titânico), que significa "quase sobre-humano". A força dos Titãs deu seu nome ao metal muito resistente titânio e ao *Titanic* – uma embarcação menos resistente do que se acreditou. O nome foi também usado para uma série de foguetes espaciais usados por muito tempo.

Rebentos monstruosos

Outros filhos de Gaia e Urano incluíam a raça de um olho só, os Ciclopes, e os gigantes e terríveis Hecatônquiros, cada um dos quais tinha cinquenta cabeças e uma centena de braços e mãos (Hecatônquiros significa "aqueles que têm cem mãos"). Essas últimas criaturas tinham um considerável potencial para encrenca, e, em algumas versões da história, Urano os tinha lançado no Tártaro. Outros afirmam que Urano se recusou a deixar que os monstros nascessem em absoluto, mantendo-os confinados no ventre de Gaia sob a terra, nunca incomodando diretamente o mundo dos homens.

Gaia considerou tétrico o tratamento de Urano em relação aos filhos e decidiu que era hora de fazer alguma coisa. O Tempo em questão era seu filho mais novo, Crono, cujo nascimento trouxe a cronologia para o universo como a conhecemos. Como o tempo tem a mania de passar sem que se perceba para aqueles que se divertem, Crono também pegou Urano desprevenido enquanto se deitava com Gaia e o castrou com um hábil golpe de uma foice de adamantina, intencionalmente fornecida por sua mãe.

Os genitais descartados caíram nas águas e lá semearam o nascimento de Afrodite, a mais velha das divindades que veio a integrar os "Olímpicos" (cf. p. 54). "Ela é chamada Afrodite porque nasceu da espuma [*Aphros*]... e Eros presenciou seu nascimento junto com o doce Desejo, conduziu-a à família de deuses e a ela reservou lugar nos cochichos de moças, nos sorrisos, nos enganos e no deleitoso prazer da intimidade entre os humanos e entre os deuses imortais" – assim nos diz Hesíodo.

ARTE E CULTURA POSTERIORES:
O NASCIMENTO DE AFRODITE

A lenda do nascimento de Afrodite (conhecida pelos romanos como Vênus) inspirou na década de 1480 uma das obras mais conhecidas da arte da Renascença – *O Nascimento de Vênus*, de Sandro Botticelli, mostrando a deusa enquanto emerge das águas. "Vênus" pode ter tido como modelo a bela cortesã Simonetta – especialmente porque a concha, na Itália da Renascença, era uma metáfora para a parte do corpo que Vênus esconde na pintura.

Galeria degli Uffizi, Florença
Versão de Botticelli do nascimento de Afrodite.

NO INÍCIO

Metropolitan Museum of Art, Nova York
Sono e morte alados carregam um herói mortalmente ferido (vaso ático c. 510 a.C.).

Os filhos da Noite

Para aqueles que se perguntam de onde "doce Desejo" tinha vindo para presenciar o nascimento de Afrodite, a resposta é que Nix tinha estado ocupada também. Desejo era um dos mais agradáveis de um saco certamente misto de filhos de Nix, que incluíam Geras (Velhice), Hipnos (Sono), Tânatos (Morte), Éris (Discórdia) e Nêmesis (Retribuição), bem como as terríveis Moiras, ou deusas do fado, que teciam o destino tanto dos homens como dos deuses.

≈ Passo 3 ≈
O Princípio de Neoptólemo e o nascimento de Zeus

O Princípio de Neoptólemo dita que o mal que um homem faz será feito de volta contra ele. Os gregos o tomavam quase como uma lei da natureza e lhe deram o nome do filho de Aquiles (cf. p. 196), que foi morto de forma tão brutal quanto o modo pelo qual havia matado muitos outros. Embora o próprio Neoptólemo tenha vivido muito depois, o princípio em questão pode ser visto mesmo nesse estágio inicial no ataque contra Urano. Gaia e Urano continuaram a ser consortes, mas o castrado Urano parou de interagir de forma significativa com o universo e logo saiu de cena. Gaia também deu um passo para trás, para o pano de fundo. Na verdade, ela *se tornou* e permanece sendo o próprio pano de fundo.

Crono e Reia

Crono conduziu uma nova geração de deuses, tomando como consorte Reia, sua irmã. Reia é uma personagem menor no mito grego, mas se tornou forte na religião romana como a Magna Mater, a Grande Mãe, sendo a mãe ou avó dos deuses olímpicos. No mundo moderno, Reia é a maior das luas de Saturno, o que é adequado, já que, para os romanos, Crono (com uma pitada de Hades) se tornou Saturno, um deus da agricultura que, hoje, é cultuado como *Saturday* (dia de Saturno).

Várias mulheres importantes eram chamadas Reia nos primórdios do mito romano. Reia Sílvia era a mãe de Rômulo e Remo; e outra Reia era a mãe de Aventino (com Héracles), a partir do qual o Monte Aventino de Roma recebeu seu nome.

Infelizmente, para Gaia, Crono decidiu que, depois de uma reflexão madura, talvez fosse melhor que os rebentos monstruosos dela ficassem aprisionados no Tártaro. Tendo começado sua trajetória numa linha mesquinha, Crono permaneceu consistente. Ele sabia muito bem que Nêmesis já estava lidando com seu caso depois da castração do pai e que o Princípio de Neoptólemo significava que ele, por sua vez, provavelmente sofreria nas mãos de um de seus filhos.

O (não) nascimento dos Olímpicos

Crono tentou evitar a retribuição por parte de seus filhos por causa do ataque contra seu próprio pai, mas, como os deuses são imortais, matar sua prole não era uma opção. A experiência de Urano sugeria que colocá-los de volta para dentro da mãe não funcionava, então Crono tomou o problema nas próprias mãos – na verdade, no próprio estômago – ao engolir seus filhos conforme nasciam; uma reflexão metafísica do fato de que, a longo prazo, o tempo, de fato, engole seus próprios filhos.

Crono recebe uma pedra em lugar de Zeus.

Entretanto, ao tentar evitar o exemplo do pai, Crono ainda cometeu o erro idêntico de não considerar o instinto materno de sua esposa. Como Gaia, Reia estava com raiva por causa do destino de seus filhos e, também como Gaia, estava preparada para fazer algo a respeito.

Zeus bebê amamentado por Amalteia, proveniente de um baixo-relevo de um altar antigo.

O nascimento de Zeus

Como toda boa garota grega em todas as épocas vindouras, Reia se voltou para a mãe por conselho. Gaia aconselhou a filha a voltar para casa. Então, quando a gravidez de Reia com seu filho mais novo chegou ao fim, ela retornou à terra. Ali Zeus nasceu, possivelmente em Licto, ou talvez no Monte Ida, ou, ainda, no Monte Dicte, mas certamente em Creta. Quando Crono devidamente apareceu para engolir o recém-nascido, recebeu no lugar uma enorme pedra cretense envolta em cueiros. Assim, Crono foi embora acreditando que tinha consumido o último de seus filhos, enquanto Gaia levava Zeus embora, seu neto, para ser criado em segredo, alimentado com mel de abelhas selvagens e nutrido pelo leite de Amalteia, uma das primeiras cabras a existir.

ARTE E CULTURA POSTERIORES:
O NASCIMENTO DE ZEUS

O grande artista flamenco Rubens baseou muitas pinturas em temas mitológicos. Na mitologia romana era Saturno, o pai de Zeus (Júpiter), quem devorava seus filhos, e *Saturno* (1636), de Rubens, é uma imagem aterrorizante de um homem despedaçando com seus dentes uma criança viva. Esse tema foi desenvolvido com uma insanidade tenebrosa no início da década de 1820 na pintura *Saturno devorando um de seus filhos*, de Goya. Por contraste, a fuga de Zeus foi representada de forma encantadora em 1615, pelo mestre barroco Gian Lorenzo Bernini, numa pequena escultura de mármore chamada *A cabra Amalteia com o infante Júpiter e um fauno*.

Museu do Prado, Madri
A visão atormentadora de Crono por Goya.

Guerras celestiais: o embate titânico

Embora Zeus estivesse silenciosamente aumentando seu poder longe do olhar vigilante do pai, Crono era tão poderoso quanto astucioso: se ele tivesse de ser deposto, Zeus precisaria de aliados. Então Gaia convenceu Crono a regurgitar os irmãos e as irmãs de Zeus, do último até o primeiro – e, assim que Crono vomitou a pedra que ele acreditara ser Zeus, o jogo acabou. Zeus libertou os filhos de Gaia aprisionados no Tártaro, e Crono convocou seus irmãos e suas irmãs, os Titãs, para defender o reino. A guerra teve início no firmamento, e duro foi o embate, que, de acordo com Hesíodo, por dez anos "fez o firmamento tremer e gemer, e a terra e os mares sem limites lançaram de volta ecoando o estrondo; o alto Olimpo tremeu em sua base, e terremotos aconteceram em sucessão sem fim". Mas, no fim, Crono foi derrotado, e os Titãs que haviam combatido a seu lado foram aprisionados no Tártaro.

Guerra com os gigantes

Mas antes que Zeus pudesse estar seguro como mestre do universo, ele ainda encarou grandes desafios, o primeiro dos quais consistia nos gigantes, que surgiram da terra a partir do sangue de Urano, exatamente como Afrodite emergiu do mar. Liderados por Atlas, os gigantes empilharam as montanhas umas sobre as outras numa derradeira tentativa de alcançar e invadir o Olimpo, a poderosa montanha no norte da Grécia que Zeus e seus irmãos tinham tornado seu lar e sua cidadela.

Os deuses se encaminhando para a batalha contra os gigantes, de um vaso grego de Nicóstenes.

> **ARTE E CULTURA POSTERIORES:**
>
> GUERRA CONTRA OS TITÃS E OS GIGANTES
>
>
>
> As guerras dos deuses contra os Titãs e os gigantes formaram um tema na Renascença e depois no Iluminismo, com artistas usando a alegoria dos valores iluministas contra o barbarismo ignorante para propósitos propagandísticos de seus patrocinadores. Exemplos incluem *A queda dos gigantes do Monte Olimpo* (1530-1532), de Giulio Romano; *A batalha entre deuses e Titãs* (1600), de Joachim Wtewael; e *Olimpo: a queda dos gigantes* (1764), de Francisco Bayeu y Subías.
>
>
>
> Scala, Florença
> *Guerra no firmamento, num afresco de Giulio Romano.*

O aterrorizante Tífon

O último e mais terrível desafiador da autoridade de Zeus foi Tífon, aquele de cem-cabeças, o tufão, o que cospe fogo. Ele era o filho mais novo de Gaia e foi quem mais perto chegou de conduzir as forças da desordem e da escuridão à vitória sobre a terra. Mas Zeus descobriu sua habilidade com os raios que os Ciclopes haviam confeccionado e com

Staatliche Antikensammlungen, Munique
Tífon atingido pelo raio de Zeus (detalhe).

eles atingiu Tífon e o lançou terra adentro sob o Monte Etna, na Sicília; desde então, Tífon ainda cospe fogo periodicamente em sua fúria vã.

⇢ Passo 4 ⇠
O efeito cascata

Com Zeus, a personificação da ordem, agora seguro em seu trono no Monte Olimpo, o mundo começava a tomar sua forma final. Era um mundo numinoso, um mundo de grandes deuses e de deuses menores, e a cada um coube a responsabilidade de completar tudo o que restava da criação.

Aspectos dos deuses

Um ser divino poderia, por seus aspectos, desempenhar os vários papéis que lhe são designados – ou seja, diferentes facetas do deus, cada uma refletindo um papel diferente assumido por ele. Assim, Zeus era o rei dos deuses, mas também o portador do raio e o juntador de nuvens, o deus das tempestades e, em outros aspectos, um deus da profecia e da cura e um protetor de estrangeiros. Um mortal que procurasse um favor divino se dirigiria àquele aspecto demandado do deus, e, de fato, se suas orações fossem atendidas por completo, ele poderia até mesmo erguer um templo àquele aspecto do deus.

Filhos de deuses

Deuses poderiam também transmitir algumas de suas responsabilidades a seus rebentos. Assim, pode-se imaginar o mundo do mito como uma cascata de deuses fluindo para dentro de cada parte do mundo, com cada deus criando e ocupando um nicho e originando filhos que preencheriam o respectivo subnicho. Por exemplo, Tetís, filha de Gaia, tornou-se a consorte de Oceano, e de sua união vieram os grandes rios de Ge; deles vieram milhares de Ninfas, cada uma habitando sua própria gruta ou fonte.

Ponto, as águas, produziu Nereu, o "Velho do Mar" (também conhecido como Proteu, cuja habilidade de se adaptar a qualquer incumbência – ou forma – nos deu o adjetivo "proteico"). Ponto povoou cada baía e enseada com suas descendentes, as Nereidas, que vivem também em águas profundas e brincam com golfinhos. Do mesmo modo que grandes deuses das águas produziram deuses menores, que produziram ainda outros, divindades cada vez mais localizadas e especializadas, assim também os outros deuses tiveram centenas de descendentes, até que não havia uma única força no universo, de ventos a estações do ano, que não tivesse seu próprio deus ou deusa. Cada ideia abstrata tinha – era – uma divindade, cada gruta tinha uma ninfa e cada bosque, uma dríade.

ARTE E CULTURA POSTERIORES:

GAIA E PONTO

A união entre Gaia e Ponto produziu os seres divinos Nereu, Taumas, Fórcis, Cetó e Euríbia. Produziu também o famoso *União de Terra e Água*, do artista flamengo Rubens, em cerca de 1618. Nele, Rubens usou o mito para simbolizar os holandeses fechando a boca do Rio Scheldt, negando à cidade comercial de Antuérpia um acesso essencial ao Mar do Norte.

Sibelius, o compositor finlandês, também acrescentou um complemento musical para a prole de Tetís e Oceano com seu *As Oceânides*, um "poema sinfônico" escrito em 1913-1914.

Um mundo de deuses, um mundo de homens

O mundo então criado era tanto humanista quanto numinoso. Humanista porque os novos deuses eram uma parte do mundo natural: eram divinos, mas não onipotentes, e certamente nem sempre sábios. Eles compartilhavam os mesmos valores, aspirações e falhas com os humanos. Embora sua comida fosse ambrosia e seu sangue, o icor, os deuses comiam, sentiam dor, ciúme e raiva, e sangravam quando feridos. Mas, diferentemente dos humanos, os grandes deuses estavam dentre os poderes que os gregos chamavam *daemones* – normalmente invisíveis, embora onipresentes ou capazes de viajar grandes distâncias sem usar o tempo. Entretanto os motivos por trás de suas atividades são humanamente compreensíveis e, com frequência, estão longe de serem elogiáveis.

Como os deuses eram uma parte do mundo natural, estavam, portanto, no mesmo contínuo que ligava o homem aos animais, de modo que a divisão entre humano e divino não era muito bem definida, como o é hoje.

Entre deuses e humanos (o como e o porquê da criação da humanidade é um tópico para o próximo capítulo) havia uma horda de seres, alguns dos quais, como os sátiros, possuíam elementos do divino mesmo sendo seres menos que humanos. Não apenas divindades menores, mas mesmo os grandes deuses e deusas eram capazes de entrecruzar com humanos e o faziam com considerável entusiasmo.

Os antigos eram parte de um mundo saturado de seres divinos e no qual novas divindades – mesmo grandes deuses como Dioniso (cf. p. 103) – estavam constantemente aparecendo. Faunos e sátiros faziam travessuras nos vales arborizados, e criaturas medonhas como a vampiresca estrige assombravam à noite. Mesmo humanos na aparência podem ser deuses viajando disfarçados, ou semideuses, ou filhos de deuses, pois humanos e deuses podiam interagir em todo nível e de todo jeito que fosse possível aos humanos interagirem entre si. Não havia divisão entre natural e sobrenatural – o sobrenatural *era* natural. O mundo do mito ainda estava tomando forma, e, como será visto, humanos estavam totalmente envolvidos nessa formação. Mas a ordem do universo estava completa – havia se tornado um todo único e organizado – ou, como os gregos diriam, um "cosmo".

$\approx 2 \approx$

Os filhos de Pandora:
a história humana

Porque o mundo do mito é holístico, com tudo sendo parte do todo, não há uma narrativa simples capaz de explicar desenvolvimentos conforme se desenrolavam. Os humanos aparecem cedo na criação do cosmo e sua história é entretecida àquela dos deuses para formar uma complexa tapeçaria. Desfiar os fios dessa tapeçaria é difícil, mas essencial se queremos entender a interação entre os humanos e o divino. A humanidade é mais velha do que alguns dos deuses, e, portanto, é correto que seu lugar no cosmo deva ser explicado aqui antes de continuarmos a observar determinados deuses e suas histórias individuais – sem mencionar que os humanos são um elemento importante na maioria dessas histórias.

$\approx$ Parte 1 $\approx$
As eras do homem (e da mulher)

Duas pedras grandes o suficiente para encher um carrinho de mão jazem à beira da ravina. Essas pedras são cor de argila – não a cor da argila terrosa, mas como aquela encontrada numa ravina ou num riacho arenoso; e as pedras têm um cheiro muito parecido com o da carne humana. Os habitantes locais dizem que essas pedras são remanescentes da argila a partir da qual a humanidade foi moldada por Prometeu.

Pausânias, *Guia da Grécia*, 4.1.

Nem todos os Titãs combateram contra Zeus. Um deles, que era seu aliado, foi Prometeu, que carrega um nome ligado aos conceitos de "previsão" e de "planejar com antecedência". Nos dias em que Crono ainda governava os céus, Prometeu havia moldado uma criatura chamada homem para andar sobre a terra. Conforme explica Ovídio em *Metamorfoses*: "Ele pegou a água da chuva, que ainda possuía algo dos céus, e a misturou com a terra formando uma criatura nunca vista antes. Pois, enquanto outros animais olhavam para o chão, essa criatura podia voltar sua face para as estrelas e lá ver sua semelhança com os deuses, que são mestres de tudo". Essa semelhança não era meramente física, como será visto adiante.

⊰ A Era de Ouro ⊱

Que essa era de ferro cesse e uma
[nova] Era de Ouro emerja.
VIRGÍLIO, *ÉCLOGAS*, 4.9SS.

Os primeiros humanos eram exclusivamente homens. Na "Era de Ouro" descrita por Hesíodo, sua existência era celibatária. "Eles viviam sem preocupação ou problema... seus banquetes eram livres do mal... e todas as coisas boas pertenciam a eles." O que aconteceu para esse idílio acabar é confuso, e não é possível reconciliar as muitas versões diferentes da história. Mas parece que um embate entre vontades divinas trouxe tanto o fim da Era de Ouro como, não por coincidência, a criação da mulher.

Enganando Zeus

Prometeu queria o melhor para sua criação; ainda assim, aceitou que os homens devessem sacrificar aos deuses. Então preparou um touro para o jantar de Zeus, dispondo engenhosamente os ossos numa única porção sob uma camada de gordura, enquanto a outra porção tinha carne e vísceras nutritivas, tudo jogado sem cuidado e coberto pela barriga do touro. "Escolha uma dessas porções, grande Zeus", disse o ardiloso titã, "e, depois do sacrifício, a outra porção deve ir para os humanos". Zeus facilmente percebeu o truque e se enraiveceu com o atentado. Não obstante, tomou a gordura e os ossos, e, desde então, os deuses tiveram que se contentar com eles quando um animal fosse sacrificado. Mas houve um preço a ser pago por oferecer aos deuses a porção inferior e pela presunção de Prometeu. Zeus decidiu que a punição seria um dano à humanidade, a amada criação do titã.

Prometeu rouba o fogo

Zeus decretou que aos humanos deveria ser negado o segredo do fogo, uma falta que os manteria na primitiva selvageria e um passo parcamente à frente dos animais. Mas o teimoso Prometeu entregou furtivamente o fogo a seus protegidos ao escondê-lo num caniço oco. Quando, mais tarde, Zeus olhou para a terra e viu as estrelas nos céus espelhadas pelas chamas nos assentamentos humanos no solo, ele soube que Prometeu o havia desafiado.

Sua ira foi terrível. Zeus ordenou que o gentil titã fosse acorrentado a uma rocha nas distantes montanhas do Cáucaso e, então, enviou para lá uma águia para devorar o fígado do prisioneiro. O imortal Prometeu não podia morrer, e, durante a noite, seu fígado voltava a crescer para ser devorado de forma agonizante, novamente, no dia seguinte.

Museus do Vaticano, Cidade do Vaticano
A ira de Zeus – as excruciantes punições de Atlas e Prometeu.

ARTE E CULTURA POSTERIORES:
PROMETEU

A lenda de Prometeu apresenta temas fortes de autossacrifício, altruísmo, sofrimento e redenção, que, sem surpreender, têm provocado reações em todas as artes. Sob a forma de drama em verso, Percy Bysshe Shelley produziu sua dramática reelaboração da peça grega antiga de Ésquilo, *Prometeu desacorrentado*. No século XX, *Prometeu* foi uma ópera do compositor alemão Rudolf Wagner-Régeny. Na pintura tem havido muitas interpretações do mito, como *O mito de Prometeu* (1515), de Piero di Cosimo, e *Prometeu sendo acorrentado por Vulcano* (1623), de Dirck van Baburen. Gustave Moreau forneceu um contorno expressionista ao tema no século XIX, na época em que a partilha da Holanda também evocou *O Prometeu polonês* (1831), no qual o artista Horace Vernet representou a Polônia como um soldado jacente do qual a águia russa se alimenta. O tema é mais bem retratado em mármore pela estatueta de 1762 feita por Nicolas-Sébastien Adam, que está atualmente no Louvre.

Museu do Louvre, Paris
Prométhée Enchaîné, que levou vinte anos para ser produzida pelo escultor Adam.

Pandora

> *Hefesto, sob ordem de Zeus, fez o corpo
> da mulher a partir da argila. Atena lhe deu vida e o restante
> dos deuses, cada um, concedeu alguma outra dádiva. Por causa
> dessas dádivas, eles a nomearam Pandora
> ["Tudo-dá"]. [...] Pirra era sua filha.*
> HIGINO, *FÁBULAS*, 142.

Ainda furioso, Zeus então voltou sua atenção para a humanidade. Para prejudicá-la, ele preparou "um belo mal para equilibrar a bênção do fogo", a saber, Pandora. Os deuses companheiros de Zeus – alguns dos quais eram, afinal, mulheres – deram à criação de Hefesto um dote com muitas dádivas à humanidade, de modo a suavizar o golpe. Mas as dádivas que Pandora recebeu precisavam ser treinadas para servirem à humanidade e, até lá, tinham de ser mantidas numa enorme urna – que, épocas posteriores, reconfiguraram como a "caixa de Pandora".

Zeus, entretanto, deu a Pandora uma "dádiva" que desfaria o trabalho de seus companheiros deuses: uma inabalável curiosidade. Pandora mal havia chegado na terra quando abriu a tampa para ver o que a urna continha. Imediatamente, as criaturas escaparam do recipiente e, não estando treinadas para servir à humanidade, tornaram-se desespero, ciúme, raiva e uma miríade de doenças e enfermidades que afligem os seres humanos. Tudo o que restou foi a esperança, que ficou presa sob a borda inquebrável da urna e que a humanidade conseguiu treinar e tornar uma amiga, como era a intenção para as outras "dádivas" na urna, embora de modos que não conseguimos mais imaginar.

Ashmolean Museum, Oxford
Pandora emerge do chão.

"Assim", diz Hesíodo, no seu melhor tom ranzinza e indesculpavelmente misógino, "de Pandora veio a ruinosa raça das mulheres, uma aflição para viver com os homens... e leva deles os frutos do labor para dentro da própria barriga." Sutil e ardiloso foi mesmo Zeus, pois "quem quer que fuja do casamento encontra ainda um miserável fim, sozinho e desprovido de família".

ARTE E CULTURA POSTERIORES:
PANDORA

Não é de surpreender que a história de Pandora tenha sido recontada muitas vezes em pintura, escultura e música, dos quais alguns notáveis exemplos são: *Pandora*, uma ópera de 1690 de Gennaro Ursino; uma estátua de mármore de 1864 feita pelo escultor americano Chauncey Bradley Ives; e pinturas que vão de cerca de 1550 (Jean Cousin) até o século XIX (Lawrence Alma Tadema, J.W. Waterhouse, Paul Césaire Gariot), além de numerosas obras modernas.

Pandora ainda pode ser vista na terra e nos céus. Ela é uma lua de Saturno, um asteroide, uma pequena cidade em Ohio e outra no Texas e também uma ilha no Ártico canadense. Ela cedeu seu nome para uma linha de navios de guerra da Marinha Real, que serviram entre 1779 e 1942, uma subespécie de mariposas-esfinge e uma editora. A natureza expressiva da história de Pandora tornou seu nome um perpétuo favorito da música pop, de livros e títulos de filmes (por exemplo, *A caixa de Pandora*, *O relógio de Pandora*, *O povo de Pandora* etc.). O nome de Pandora aparece com frequência em inovações tecnológicas e na ficção científica – por exemplo, como o nome do planeta num filme de ficção científica chamado *Avatar* (2009).

⚜ A Era de Prata ⚜

A torrente de males que Pandora havia sem querer libertado mundo adentro deu início à Era de Prata – que, como se pode imaginar, foi menos satisfatória em comparação com a Era de Ouro. Crianças eram criadas por suas mães e mantidas firmemente atadas à barra da saia até que saíam para o mundo como adultos totalmente emplumados, incapazes (por conta das influências excessivamente femininas de sua criação) de manter a fé uns nos outros e nos deuses. Seguiram-se a violência, a traição desenfreada e o sacrilégio, e aqueles bebês totalmente crescidos não viviam muito tempo depois de deixar o santuário de sua casa materna. Por fim, Zeus decretou a raça um fracasso e removeu da terra as pessoas da Era de Prata.

⚜ A Era de Bronze ⚜

A Era de Prata foi seguida pela Era de Bronze, uma era de guerras. Os guerreiros dessa era removiam suas armaduras de bronze tão raramente que alguns poetas posteriores os descreveram como, literalmente, feitos de bronze. Guerras e batalhas grassavam numa sucessão interminável, e, embora Ares, o deus da guerra (cf. p. 92), estivesse em seu elemento, mesmo ele tinha de aceitar que tudo o que é demais enjoa. Os outros deuses, particularmente o possante Zeus, logo se cansaram da Era de Bronze, e a questão era se esses guerreiros infatigáveis eliminariam uns aos outros antes que Zeus os eliminasse.

Foi por pouco. De acordo com Hesíodo, os povos da Era de Bronze obtiveram sucesso com seu desejo de autodestruição, mas isso levanta a questão de por que Zeus, mesmo assim, prosseguiu com seus planos – pois todos os que contam o mito concordam que o Rei dos Deuses provocou um forte dilúvio, e as águas varreram a terra e eliminaram a humanidade de sua face. De acordo com algumas versões da história, a última gota d'água veio quando um rei sacrificou seu próprio filho na crença perversa de que isso agradaria a Zeus em lugar de estarrecê-lo.

A arca de Deucalião

Prometeu, ainda em excruciante cativeiro, manteve-se, mesmo assim, a par dos eventos e vigiava sua criação – em particular, um filho chamado Deucalião, que havia se casado com Pirra, da cor de fogo, filha de Pandora. Os rebentos dos deuses são longevos, e, evidentemente, esse casal sobrevivera à perversa Era de Prata e à violenta Era de Bronze. Prometeu estava convencido de que eles também sobreviveriam ao dilúvio. Então Deucalião foi ordenado a construir uma arca para si e sua esposa, na qual sobreviveram à grande inundação. Por fim, quando as águas retrocederam, Deucalião e Pirra descobriram que a arca havia estacionado numa montanha. Em eras posteriores, foi muito debatido em qual montanha precisamente, com os habitantes da Sicília, de Cálcis e da Tessália oferecendo, cada um, excelentes partes de seu território a essa honra. Entretanto a opinião popular decidiu – e talvez a arca de Deucalião tenha mesmo se estabelecido ali – pelo Monte Parnaso, próximo a Delfos, casa de veraneio de Apolo e, mais tarde, lar de seu oráculo.

DATAÇÃO ANTIGA E MODERNA

É uma feliz coincidência que o período referido pelos arqueólogos na Modernidade como Idade do Ferro corresponda, em larga medida, à última parte da Era do Ferro (o início da era clássica) na antiga tradição grega. A antecedente Era dos Heróis dos antigos é, em termos modernos, a Idade do Bronze arqueológica. E se os heróis do mito às vezes agem como adolescentes fora do controle, é porque eles, provavelmente, o eram. A arqueologia mostra que os aristocratas da Idade do Bronze, nos quais os heróis do mito são baseados, tinham, com frequência, vidas breves e cheias de ação. Embora alguns vivessem até os sessenta anos, a morte era uma companhia constante, que convocava a maioria das vítimas bem antes disso. Não era incomum que as mulheres fossem mães aos treze anos, avós aos vinte e morressem aos trinta.

⊰ A Era de Ferro: ⊱
O RENASCIMENTO DA HUMANIDADE

Zeus havia se acalmado um pouco, depois de ver os efeitos dramáticos de suas ações, e enviou uma mensagem ao casal exilado, Deucalião e Pirra, por meio de um oráculo: "Cubram suas cabeças e lancem os ossos de sua mãe por cima dos ombros". Após a perplexidade inicial – pois ninguém sabe o que havia acontecido a Pandora –, o casal percebeu que a mãe em questão era Gaia, a mãe de todos – e seus ossos eram as pedras que jaziam em abundância. Deucalião e sua esposa fizeram como instruído, e, conforme as pedras atingiam o chão, tornavam-se macias e mudavam de forma. Aquelas lançadas por Deucalião se tornaram homens, e as lançadas por Pirra se tornaram mulheres. Assim, nasceram as primeiras gerações da Era de Ferro, os homens e as mulheres da Era dos Heróis, cujas vidas e feitos formaram a principal substância do *corpus* mitológico.

Aqueles que viveram séculos depois, ao fim da Era de Ferro – ou, como um historiador antigo disse de modo pungente, na "Era da Ferrugem" –, consideravam seu universo completo e ordenado. Os últimos monstros se foram, mortos pelos últimos heróis, e, enquanto os deuses e outras entidades sobrenaturais ainda tinham um profundo interesse e influência nos assuntos humanos, agora, eles agiam por meio de humanos ou agentes naturais, em vez de intervir pessoalmente.

Para aqueles que viveram depois de 600 a.C., o mundo era maduro – na verdade, era mesmo idoso. Não havia especulação sobre qual era seguiria a Era de Ferro, porque, na medida em que pensaram sobre isso, aqueles vivendo nessa era acreditavam que ela seria seguida pelo mundo caindo em ruína e pelo fim de todas as coisas.

❧ PARTE 2 ❦
A PAISAGEM DO MITO

O efeito da mitologia sobre o mundo helenístico pode ser facilmente confirmado por uma passada de olhos num atlas. Na verdade, "helenístico" e "atlas" derivam seus nomes de dois personagens da mitologia grega: Heleno e Atlas.

Os helenos

Já vimos como Deucalião, o primeiro homem, sobreviveu ao dilúvio e repovoou o mundo. Seu filho era chamado Heleno. Os filhos de Heleno se estabeleceram na Tessália e, mais tarde, se espalharam pelo território que se tornou conhecido dos gregos pelo nome que eles ainda utilizam hoje: Hélade.

Outras regiões do mundo grego foram nomeadas com base nos lugares em que os netos e os descendentes de Deucalião se estabeleceram:

Doro seguiu para o sul, e seu nome deu origem ao povo dório, que, posteriormente, incluía os espartanos. (Os dórios também dão seu nome ao estilo particular de arquitetura, o "dórico", cujo exemplo mais impressionante é o Partenon de Atenas.)

Xuto foi pai de Íon (embora outros digam que ele o adotara e o verdadeiro pai de Íon seria Apolo, que seduziu Creusa, a esposa de Xuto). Íon se tornou o líder de guerra dos atenienses, que, a partir de então, se denominaram jônios. Assim também o fez o povo das ilhas do Mar Egeu e os gregos da Ásia Menor, que chamavam suas terras coletivamente de Jônia.

Ainda mais em Delos deleitas teu coração, Febo [Apolo];
pois lá os jônios, em seus longos robes, juntam-se às suas
reservadas esposas e filhos para honrar-te.
"HINO HOMÉRICO A APOLO", 2.145SS.

Como o dórico, o jônico é um estilo de arquitetura que tem sobrevivido ao tempo – como pode ser confirmado por uma rápida olhada nas colunas jônicas de muitos prédios grandiosos, inclusive o Museu Britânico, em Londres, e o Prédio do Tesouro Americano, em Washington.

Aqueu emprestou seu nome ao povo das terras a oeste de Atenas, particularmente à área em torno de Argos e Micenas – que é a razão pela qual Homero nomeia os que lutaram em Troia de aqueus. Anos mais tarde, aqueles que reivindicavam ser de descendência aqueia travaram amargo embate contra os etólios, que reivindicavam ser descendentes de Eolo, outro filho de Heleno, e que se estabeleceram nas terras do sul da Tessália e da parte da Grécia mais a oriente.

Staatliche Antikensammlungen, Munique
Hermes roubando Io, numa ânfora grega do século VI a.C.

Os filhos de Io

Numa época para além da memória, a cultura grega já tinha se espalhado por grande parte do Mediterrâneo oriental. Enquanto, hoje, reduzimos tudo a rotas de comércio e guerras, os antigos gregos creditavam essas peregrinações a Io, uma bela princesa de Argos. De acordo com a mitologia, seus filhos ajudaram a moldar não apenas a Grécia, mas também muitos outros países vizinhos. Seus descendentes formam uma das abrangentes árvores genealógicas da mitologia, intimamente ligada a outras duas grandes árvores genealógicas, que são aquelas de Atlas e Heleno.

ZEUS E IO

Um dos perigos de ser uma bela princesa nos primórdios do mundo era que não havia muita gente por aí, e Zeus era particularmente atento *às belas princesas* em sua missão de produzir mais gente. Depois de, discretamente, cobrir a cidade de Argos com uma nuvem para evitar que Hera o notasse, Zeus violou Io. Então, percebendo que Hera, ao suspeitar, já estava dissolvendo a nuvem, Zeus, rapidamente, disfarçou Io de novilha.

Hera não foi convencida pela trapaça e, assim, pediu a Zeus que lhe presenteasse com a novilha, ao que Zeus não podia recusar sem entregar o jogo. Hera colocou Argos, o monstro com cem olhos, para guardar sua nova aquisição enquanto inquiria sobre a proveniência dela. Mas Zeus fez Io ser roubada por Hermes, que matou Argos no processo. Hera transferiu os olhos de Argos para a cauda de sua ave icônica, o pavão, e enviou uma enorme mutuca para atormentar Io e evitar que ela tivesse qualquer descanso.

Depois de ser transformada numa novilha (cf. o box anterior), Io atravessou para a Ásia Menor nadando pelo estreito que foi nomeado em função dessa ocasião: "atravessado pela vaca", ou Bósforo. Impossibilitada de se estabelecer no Oriente, seguiu para o sul, onde, finalmente, deu à luz o filho de Zeus que ela estava carregando. Egito, que emprestou seu nome àquele país, foi um de seus descendentes. (Outra descendente de Io, com quem Zeus também se engraçou, foi Europa, que emprestou seu nome ao continente.)

AS DANAIDES

Dânao, também descendente de Io, retornou a seu lar ancestral para se tornar rei da cidade grega de Argos. Seus numerosos rebentos eram todas filhas. Então Egito, que tinha cinquenta filhos, apareceu com o engenhoso plano de casar seus filhos com as filhas de Dânao e, assim, por fim, acrescentar a Argólida a seu já extenso império. Dânao fingiu que havia concordado com a ideia. Mas, a seu pedido, todas as filhas mataram os respectivos maridos na noite de casamento (com a exceção de Hipermnestra, que, na verdade, gostava do rapaz com quem fazia par). As filhas, em seguida, casaram-se com jovens argivos, de modo que, à época da Guerra de Troia, "de Dânao" era sinônimo de "argivo". Essa é a razão pela qual a frase moderna "Cuidado com os gregos que trazem presentes" (tais como o cavalo de Troia) é, em latim, "*Timeo Danaos et dona ferentes*", traduzida de forma mais precisa como "Temo as filhas de Dânao, mesmo que carreguem presentes".

Agamêmnon, rei da Argólida à época da Guerra de Troia (cf. p. 183), era outro descendente de Io, mas, dessa vez, por meio de Pélops (cf. p. 75), um imigrante da Lídia, na Ásia Menor, que acabou por dar seu nome ao Peloponeso.

Io também contava com vários filhos heroicos em sua linhagem, talvez os mais notáveis sendo Perseu e Héracles – esse último é importante nessa investigação geográfica, porque um número de cidades chamadas Heracleia apareceu em honra aos feitos desse semideus. Uma versão romana de tal cidade – Herculano – foi preservada para a posteridade sob as lavas do Vesúvio, à mesma época em que Pompeia foi soterrada em cinzas.

Sobre Troia e a Ásia

O titã Atlas, irmão de Prometeu, emprestou seu nome a uma cadeia de montanhas e a uma enorme montanha no norte da África. Foi ele quem conduziu o assalto ao Olimpo na batalha entre deuses e gigantes (cf. p. 20). Como punição, Zeus deu a ele a tarefa de carregar o céu sobre seus ombros.

Antes de tomar os céus, Atlas teve tempo para ser pai de vários rebentos, incluindo as sete irmãs conhecidas como as Plêiades (cf. p. 90) e uma filha chamada Dione. A plêiade Electra teve um descendente chamado Dardano, que deu seu nome à província romana da Dardânia e foi, por sua vez, o progenitor de Ilo, que fundou a cidade de Ílio, conhecida, hoje, como Troia. Alguns acreditam que Dardano também deu seu nome ao Dardanelos nas proximidades, cenário do feroz combate durante a Primeira Guerra Mundial.

Museu Arqueológico Nacional, Nápoles
O Atlas Farnese, proveniente de Roma.

Como Pélops, ancestral de Agamêmnon, pertencia à linhagem de Dione, é possível perceber que a Guerra de Troia foi um tipo de problema de família (embora de parentes distantes). Em épocas posteriores, os romanos traçaram sua ancestralidade por meio do troiano Eneias até Dardano, e, no fim das contas, a Atlas. A mãe de Atlas era Climene, ou, como afirmam algumas versões, Ásia, que, para os gregos, significava uma parte do que, atualmente, é a Turquia, mas, no vocabulário moderno, é, agora, o lar mais populoso da humanidade.

⊰ Parte 3 ⊱
A jornada humana

Para os gregos e romanos, o espírito humano, como aquele dos deuses, era imortal e indestrutível. O corpo humano, por outro lado, era angustiantemente mortal. Ele tendia à decadência e, por fim, à morte mesmo se os deuses não decretassem um fim ainda mais dramático. Ainda assim, para os antigos, a morte marcava senão outro passo no desenvolvimento do espírito. É com tais conceitos que o antigo mito se funde com a religião clássica, e percebemos que a teologia do mundo antigo incorporava um sistema de crença claro e lógico tão sofisticado quanto qualquer um existente na atualidade. Não há lugar em que isso seja mais evidente do que na jornada de cada ser humano, desde o nascimento até a morte e muito além.

Vida na Terra

Na mitologia clássica, todos os seres vivos foram, no momento de sua criação, preenchidos com o espírito do divino. Virgílio, o poeta romano do século I d.C., coloca isso de maneira mais clara em seu poema épico *Eneida*:

Da essência divina que move o universo
toda a vida emerge, seres humanos, animais, pássaros
e mesmo os monstros que se movem sob a
superfície marmórea do profundo oceano.
As origens de cada mente e espírito têm
seu início e seu poder no
impetuoso firmamento.
VIRGÍLIO, *ENEIDA*, 6.725SS.

Mas, embora o espírito do homem pertencesse aos céus, o corpo fora moldado por Prometeu a partir da argila terrena. E, embora o corpo fosse necessário para que um humano experimentasse a vida na terra, o corpo também agia para a alma como "uma prisão sem janelas". Contida dentro do corpo, a alma podia apenas experimentar a realidade externa por meio dos filtros toscos da carne e estava sujeita a paixões rudes e desejos vulgares de uma existência terrena. Como diz o famoso Platão, nossa percepção da realidade é tão próxima da verdadeira natureza da realidade quanto as sombras que o mundo externo lança sobre as paredes de uma caverna. O espírito estava contaminado pelo corpo e depois se purificava lentamente no mundo subterrâneo.

O mundo subterrâneo não era o inferno, que é um lugar designado, especificamente, ao sofrimento e à punição. O modo como uma pessoa levava sua vida na terra tinha, certamente, um peso no que acontecia na vida após a morte, mas o mundo clássico era muito menos punitivo do que muitas outras culturas coetâneas e posteriores. Assim era, parcialmente, porque, mesmo enquanto um humano estivesse no útero maternal, Cloto, uma das Moiras, fiava os fios de sua vida e Láquesis, a segunda das pavorosas irmãs, media seu comprimento. (As Moiras são aquelas filhas de Nix que personificam o destino, embora o termo grego signifique algo como "distribuidoras".) Graças às Moiras, o que acontecia a um humano durante seus dias de mortal era bastante preestabelecido – o importante era, na verdade, como o espírito imortal de uma pessoa lidava com o que quer que o destino lhe lançasse.

Mas, por outro lado, o caráter de alguém era considerado fixo desde o nascimento, que é como as Moiras eram capazes de calcular as reações de uma pessoa diante de seu caminho predeterminado ao longo da vida. O melhor que um humano podia fazer era assumir que tinha uma natureza inerentemente nobre e ser verdadeiro quanto a essa natureza quando seu caráter fosse testado (e a natureza da maioria dos heróis – especialmente na tragédia grega – era testada numa prova intensa e severa, de fato). Em suma, era-se medido não pelo que se fazia da vida, mas por quão bem seu caráter a enfrentava. A esse respeito, os gregos e os romanos tinham um conceito diferente do que significava ser humano. Sucesso ou derrota era predeterminado, e, de fato, aquilo que o destino havia reservado podia ser indagado por uma diligente consulta a um oráculo. O que importava era como se lidava com isso.

Para os antigos, a temporária permanência terrena era o equivalente a levar a alma para uma vigorosa malhação na academia. Era um breve período que se passava numa intensidade insustentável que ou transformaria alguém numa pessoa melhor ou num trapo absoluto. Quando seu tempo designado tivesse chegado ao fim, a pessoa tinha que ir embora, e, na época clássica do mito, era convocada pela terceira das Moiras, que cortava a linha e colocava um fim à vida humana. Essa terceira era Átropos, cujo nome "a inexorável" foi passado para atropina, o veneno da mortal beladona.

TITONO E OS PERIGOS DA IMORTALIDADE

Trapacear a morte sempre foi um negócio perigoso para um mortal, e a maior parte das tentativas não acabou bem. Por exemplo, Eos, a deusa da aurora, certa vez, pediu a Zeus que tornasse imortal seu amante humano Titono. Assim, Titono não morreu. Ele ficava cada vez mais velho e mais extenuado e enrugado, até que, por fim, se tornou o primeiro gafanhoto. Como a imortalidade não pode ser removida, Titono ainda está saltitando por aí.

A vida após a morte

Teu é o sono eterno pelo qual a alma
rompe os liames do corpo
Seja homem, mulher ou criança, ninguém escapa
se tu os convocardes
Juventude não encontra misericórdia, a força e
o vigor ao fim sucumbem
Aqui se encontra o fim da obra da natureza,
em ti que não julgas
A quem oração alguma pode arrefecer, cujo
propósito promessa alguma pode colocar de lado.
"HINO ÓRFICO À MORTE", 86.

Para gregos e romanos, a morte era um novo começo. Se os parentes do morto tivessem feito seu trabalho e executado os rituais adequados, ele seria conduzido por Hermes, deus daqueles que cruzam fronteiras, que guiava os recém-falecidos às margens de um rio, no limite do mundo subterrâneo, o qual eles tinham de cruzar.

Um barqueiro guarda essas águas. Ele é o terrível Caronte,
despenteado e sujo, sua emaranhada barba branca pendendo
de seu queixo e seu manto esfarrapado mal abotoado
sobre seus ombros. Ele é velho, mas um deus é ainda vigoroso e
verde na idade, e uma chama firme arde em seus brilhantes olhos.
Ele empurra seu barco e começa a navegar, e sua
surrada embarcação faz cruzar cada alma.

VIRGÍLIO, ENEIDA, 6.290SS.

Caronte, o barqueiro, era filho de dois aspectos da noite, Nix e Érebo (cf. p. 12), e, portanto, era ele próprio um deus. Era um servo de Hades (o irmão de Zeus), e, certa vez, quando Héracles o forçou a transportá-lo ainda vivo, Hades, enfurecido, acorrentou o barqueiro por um ano. Os serviços de Caronte não eram gratuitos, e a margem do rio ficava cheia com aqueles que tinham sofrido um enterro irregular e, portanto, não tinham a moeda para pagar pelo transporte. (Para os gregos, essa moeda era um óbolo – uma moeda de baixo valor que era colocada sobre as pálpebras ou na boca do morto.) O que Caronte fazia com o dinheiro não se sabe – certamente, a manutenção do barco e os cuidados pessoais não tomavam grande parte de seu orçamento.

A maioria acreditava que o rio que margeava o mundo subterrâneo era o Estige ("o odiável"), embora outro candidato fosse o Rio Aqueronte, no Noroeste da Grécia. Acreditava-se que ele fluía dos reinos terrenos para os infernais porque, não longe de suas cabeceiras, o rio despenca por uma série de terríveis desfiladeiros. Os antigos pensavam que alguma porção da torrente mergulhava direto para dentro do mundo subterrâneo, enquanto o restante seguia seu caminho pacífico para desaguar no mar.

É difícil para as almas dos vivos adentrar o mundo subterrâneo, porque a entrada é vigiada pelo grande cão de guarda de três cabeças, Cérbero. Se os vivos se deparam com o portão que ele vigia, Cérbero se certifica de que os invasores continuem sua jornada como os confusos recém-falecidos.

ARTE E CULTURA POSTERIORES:

CARONTE

A imagem de Caronte é tão forte que ele aparece em *O Juízo Final* – apesar de cristão – de Michelangelo, na Capela Sistina (1537-1541). Ali, Caronte é retratado de forma mais condizente com o *Inferno* de Dante, que descreve uma viagem ao Hades da Antiguidade de uma perspectiva cristã. Caronte foi retratado de maneira mais fidedigna em quadros como *Caronte transportando as sombras*, de Pierre Subleyras, na década de 1730, e a maravilhosa pintura de Joachim Patinir, de 1515-1524, no Museu do Prado, em Madri, mas é provável que ele seja mais bem conhecido nos tempos modernos, a partir da canção pop de 1982 de Chris de Burgh, "Don't Pay the Ferryman" ("Não pague o barqueiro").

Arquivos Alinari
Caronte, a única figura mitológica em O Juízo Final, de Michelangelo.

As sombras dos mortos

O Rei Minos (filho de Europa – cf. p. 36) era um famoso legislador entre os vivos e, no mundo subterrâneo, foi o juiz dos mortos. Ele arbitrava, em grande parte, disputas entre os próprios mortos, mas alguns sentiram que o Rei Minos também tinha algo a dizer sobre a dura triagem que seguia à chegada de uma nova alma, pois nem todas adentravam os salões de Hades. Algumas passavam à Ilha dos Bem-aventurados, os Campos Elísios. Esse destino era reservado àquelas almas que tinham atingido certa distinção e nobreza em vida a ponto de serem arrebatadas do plano mortal. Longe de ser solicitado a se juntar à companhia dos próprios deuses, isso era o melhor que um mortal poderia almejar.

Por outro lado, havia aqueles que tinham se mostrado absolutamente inaptos para serem parte da raça humana. O espírito humano é tão indestrutível quanto o de qualquer deus, portanto destruir tais réprobos não era uma opção. Em vez disso, eles eram lançados na lixeira cósmica do Tártaro. Lá, juntavam-se aos gigantes, aos Titãs e a outros prisioneiros julgados inaptos e que nunca mais colocariam os pés na mãe Gaia.

A vasta maioria da humanidade acabava no mundo subterrâneo como sombras. Uma sombra era, essencialmente, igual à pessoa falecida, mas numa forma bastante atenuada. Ela se lembrava das intensas sensações e das paixões de uma existência terrena e, de fato, ansiava por elas. Com o ritual certo, uma sombra poderia ser evocada dos reinos infernais para conversar com os vivos. Assim, Odisseu, certa vez, procurou o conselho dos mortos (cf. p. 204), alimentando as almas com sangue de vítimas sacrificiais, que ele derramou dentro de um pequeno buraco cavado na terra.

Tomei as ovelhas, cortei suas gargantas sobre o buraco
e deixei o sangue escuro jorrar.
Então, lá se juntaram os espíritos dos mortos,
noivas e jovens solteiros, idosos desgastados
pelo labor e jovens moças delicadas com corações
ainda novos ao sofrimento.
HOMERO, ODISSEIA, 11.20SS.

O conselho dos mortos podia ser de utilidade limitada, pois a inteligência das sombras era tão atenuada quanto o resto, mas ao menos suas memórias eram geralmente claras. Aqueles que viveram mais intensamente, como Aquiles, sofriam mais no mundo pálido e insípido de Hades. "Eu preferiria ser um escravo do servo mais pobre na terra do que rei do mundo subterrâneo", lamentou, notoriamente, o herói.

O tempo de alguém no submundo era variável – alguns filósofos consideravam mil anos um período razoável para limpar a alma da aglutinação das paixões humanas e dos anseios terrenos que havia adquirido enquanto encarnada. Muito dependia da qualidade da vida que a pessoa havia vivido.

Um indivíduo depravado precisava de um longo tempo para que as contaminações da vida fossem filtradas da alma, enquanto um asceta exigia apenas o equivalente espiritual de um banho rápido e uma arrumadinha. Mas, para todos, o período no mundo subterrâneo era muito mais longo do que o tempo encarnado, de modo que o reino de Hades, mais do que a terra acima, deveria ser considerado como o verdadeiro lar da humanidade.

Orfeu no mundo dos mortos

Orfeu, filho de Calíope, a musa da poesia épica, aprendeu com Apolo (cf. p. 82) e, diz-se, tocava lira de forma tão divina que mesmo as pedras e as árvores o ouviam. Ele amava apaixonadamente sua esposa Eurídice e ficou tão devastado com sua morte que, ao fim, decidiu ir até o mundo dos mortos para trazê-la de volta. Por meio de sua música, encantou Cérbero e Caronte pelo caminho e apresentou seu pedido cantando para Hades e Perséfone.

Os hórridos governantes do mundo subterrâneo concordaram em deixar Eurídice seguir Orfeu para fora do mundo dos mortos, mas apenas se Orfeu não olhasse para trás, nem mesmo por um momento. Porém, quando Orfeu estava prestes a deixar o submundo, ocorreu-lhe que pudesse ser um truque para fazê-lo sair sem alarde. Então ele olhou para ver se sua Eurídice estava de fato o seguindo. Ela estava, mas, com aquela olhadela, o acordo foi quebrado, e o invejoso Hades a tomou de volta sob seu poder. Orfeu nunca mais a viu.

Orfeu encantando o selvagem Cérbero.

Orfeu se tornou o fundamento do culto chamado orfismo em séculos posteriores. Os seguidores do culto deixaram uma série de hinos tocantes dedicados aos deuses:

Ouça, ó Deusa, a voz de teu suplicante
que roga a ti noite e dia,
e, nesta hora, dá-me paz e saúde,
tempos bem pressagiados e tal riqueza conforme peço,
mas, acima de tudo, estejas aqui para teus adoradores,
tu, guardiã das artes, a moça dos olhos azuis.
HINO ÓRFICO 31 A ATENA.

ARTE E CULTURA POSTERIORES:
ORFEU

Um drama envolvendo um caro músico – como poderia Offenbach resistir? Produzida na década de 1850, *Orfeu no inferno* é uma visão alegre da história com uma forte inclinação gaulesa que chegou primeiro aos parisienses com os chutes altos do cancã. A ópera de 1607 de Monteverdi, *A lenda de Orfeu*, é mais fiel à história original, tanto em relação à narrativa quanto em espírito. Na escultura, Eurídice e Orfeu são lembrados, por exemplo, pela obra de 1775 de Antonio Canova e pelo *Orfeu* renascentista de Baccio Bandinelli em Florença. Na pintura, temos o clássico *Orfeu e Eurídice* (1650-1653), de Nicolas Poussin, enquanto Albert Cuyp criou, c. 1640, a versão do tema popular de Orfeu encantando os animais com sua música.

Museu do Louvre, Paris
Eurídice segue Orfeu na obra de arte de Poussin.

Voltando atrás

Quando se chega àquela fonte à esquerda da
casa de Hades... deve-se dizer-lhes:
"Sou um filho da terra e do constelado firmamento,
mas minha geração é a de céu. Rápido,
deixem-me beber daquela água que fria flui..."
INSCRIÇÃO ENCONTRADA NUMA TUMBA EM PETÉLIA, ITÁLIA

Por fim, cada sombra se encontrava levada em direção ao extremo do mundo subterrâneo, onde as águas do pequeno Rio Lete gotejavam sobre as pedras e onde a própria Nix tinha sua casa.

Aqui, Platão imaginou uma espécie de palco, presidido por uma esfinge, no qual os espíritos recebiam seu futuro papel na vida. Havia um elemento de sorte nisso, e o componente de loteria é a razão pela qual nos referimos ao nosso "lote" em vida. Nem todos os lotes eram adequados para todos. Alguns papéis pouco exigentes eram necessários para as almas que tinham ascendido recentemente dos animais (todos já encontramos ao menos um desses), enquanto outros, depois de experimentar uma vida humana, podiam estar interessados em se estabelecer para um descanso num lugar bucólico – por exemplo, como uma vaca tranquilamente pastando num prado.

Aqueles novos no negócio imaginavam que poderiam encontrar algum prazer como reis ou tiranos, enquanto outros escolhiam uma vida curta, cheia de alegria, dor e satisfação espiritual. Platão nos conta que Odisseu, estando farto de seus esforços terrenos, procurou por um lote que lhe desse uma vida de homem comum sem aventuras.

Todos, então, bebiam da corrente do Lete e, imediatamente, perdiam sua memória da vida prévia. Estavam novamente de espírito puro, com as paixões e os delitos de suas vidas anteriores purgados, com o passado apagado, mas com o caráter desenvolvido pela experiência prévia. Os espíritos, então, se deitavam para dormir e acordariam nos corpos dos infantes que haviam escolhido, e a aventura começaria de novo.

Alguns cultos gregos ensinavam que, ao evitar o Lete e beber do rio de Mnemosine (memória) nas proximidades, era possível emergir do mundo subterrâneo com a lembrança intacta de uma vida prévia.

LETE

Lete era personificada como uma filha de Éris (cf. p. 119) e era a deusa do oblívio. A ideia de esquecer tudo tornou Lete uma imagem forte em muitos poemas modernos, e, quando o composto químico éter foi usado como um anestésico, foi chamado "Letheron".

Coquetel das águas do Lete

Passo 1

Pegue (aprox.) 30ml de gim
30ml (aprox.) de licor de morango
15ml (aprox.) de suco de laranja
15ml (aprox.) de suco de abacaxi
1 colher de chá de açúcar

Passo 2

Chacoalhe vigorosamente com gelo, coloque num copo de coquetel e beba.

Passo 3

Repita até que não se lembre do seu nome ou tenha se esquecido de como levantar o copo. Note que os beberrões inveterados se arriscam a experimentar o Lete de verdade.

⚛ 3 ⚛

Os grandes deuses:
a primeira geração

Antes de abordarmos os grandes deuses da Antiguidade como indivíduos é necessário discutir o que esses deuses eram, pois não conseguimos entender a natureza do mito se pensarmos os deuses como super-humanos meramente rancorosos com um parco controle dos impulsos. Os deuses não devem ser vistos como humanos com poderes excepcionais, mas como forças da natureza que os antigos acreditavam ter um aspecto humano. Cada deus controlava ou incorporava uma ou mais dessas forças, e é esse conceito que precisamos examinar em certo detalhe antes de conhecer a primeira geração dos deuses olímpicos.

Sobre a natureza dos deuses

Do ponto de vista grego e romano, recusar-se a acreditar nos deuses era como não acreditar na gravidade enquanto se cai de um lugar alto – um conceito estranho, e irrelevante para a questão central. A existência dos deuses era independente da crença neles.

Por exemplo, todos aceitarão que uma semente fértil colocada na terra úmida e aquecida lançará brotos e, sob as condições certas, se tornará uma planta. Atualmente, chamamos isso de "programação genética". Os gregos o chamavam Deméter (que era Ceres para os romanos). A crença em ambos não é essencial para o crescimento da planta.

De modo semelhante, as estações do ano mudam em sucessão regular, acreditemos nelas ou não. Para os gregos isso era apenas uma manifestação de Zeus, o princípio organizador. Quando se arruma a sala e se dispõe os vasos e os ornamentos sobre a cornija – de forma equidistante e com o mesmo lado de face para o cômodo –, isso é também Zeus em atividade.

Alguém acordando de um pesadelo dirá a si mesmo que o que parecia tão terrível poucos momentos antes não existe ou não é uma ameaça imediata. Ou, como os gregos diriam, que a pessoa invoca Atena, deusa do pensamento racional. Por outro lado, se alguém abandona o pensamento racional para se apaixonar loucamente, os antigos considerariam aquela pessoa tocada por Afrodite.

Em outras palavras, as forças representadas pelos deuses da Grécia e de Roma são reais. A única questão é se elas são autoconscientes, inteligentes e interessadas nos assuntos humanos. (Os filósofos antigos também se perguntavam sobre isso.) Mas antes de rejeitar a ideia de imediato, lembre-se que todas as grandes religiões consideram seus deuses autoconscientes, inteligentes e interessados nos assuntos humanos, de modo que a crença na religião clássica não é, de jeito algum, excepcional.

Assim, o mito grego e romano tem de ser visto não como uma reunião de superstições e super-heróis de quadrinhos, mas como um genuíno sistema de crenças que merece o mesmo respeito que outros esforços humanos para compreender o divino e se relacionar com ele. (É possível notar que alguns dos episódios mais ricos do Velho Testamento – por exemplo – podem também parecer um tanto estranhos para um incrédulo se considerados fora do contexto.)

O problema do mito

Então como devemos entender o papel do mito dos grandes deuses do Olimpo? Na religião clássica, os deuses incorporavam as forças primordiais do cosmo. É por meio deles que o sol se levanta e os rios fluem. São os deuses que vigiam a justiça e o funcionamento racional de todas as coisas. Contudo, no mito clássico, os deuses parecem bobos, criaturas briguentas, afeitas a aplicar truques cruéis uns nos outros e na humanidade e a perseguir contendas e vinganças.

ZEUS E SÊMELE

Sêmele era uma sacerdotisa de Zeus, e, como era deslumbrantemente bela, ele imediatamente se pôs a arrebatá-la. Naturalmente, Zeus apareceu a Sêmele em forma mortal; e, depois, que ficou grávida de seu amante, ela começou, tardiamente, a se perguntar se tinha sido mesmo tomada por um humano de boa lábia, com uma ótima prosa. Ela exigiu que Zeus se mostrasse em sua verdadeira forma. Como ele estava preso a uma promessa de fazer conforme a moça exigia, concordou de forma relutante. Exposta à verdadeira glória radiante do deus, Sêmele foi instantaneamente tostada.

Museu Arqueológico Nacional, Nápoles
Dioniso compartilha uma taça de vinho com sua mãe, Sêmele.

Resolvendo um dilema

Nessa aparente inconsistência está uma tentativa de responder à velha questão de por que um deus justo e amoroso permite que coisas ruins aconteçam a pessoas boas.

Claro, os gregos e os romanos responderam parcialmente à questão ao decidir que seus deuses não eram amorosos (exceto no sentido que

Zeus aplicava a suas companhias femininas). Ademais, como vimos no capítulo 2, eles acreditavam que muito do que acontecia a uma pessoa não estava nas mãos dos deuses, mas ligado a um destino imutável mapeado pelas Moiras.

Entretanto, em lugar de aceitar que suas vidas eram ditadas por forças cegas e imutáveis, a maior parte das pessoas na Antiguidade queria – exigia – que seus deuses, de vez em quando, torcessem as leis inexoráveis da natureza para dar uma folga a algum mortal que merecesse.

Já vimos que os deuses tinham aspectos, facetas particulares de seus poderes que podiam ser vistas separadamente das outras. Portanto, para lidar com humanos, cada deus tinha um aspecto humano – e, ao ser humano, esse aspecto tinha um lado nada atraente, embora estivesse tão longe de representar a natureza total de um deus quanto a aparição humana de Zeus para Sêmele de representar seu ser em sua totalidade. (Na verdade, como será visto, Sêmele estava, de qualquer modo, fadada a perecer ao ver a verdadeira natureza de Zeus, pois foi por meio de sua morte que o deus três vezes nascido Dioniso viria a adentrar o mundo – cf. p. 103).

Havia muito mais para os deuses antigos do que seus amores, seu ciúme, suas intrigas menores ou seus favorecidos. Ainda assim, são essas coisas que prendem nossa atenção, pois, por sermos humanos, estamos interessados nesse lado dos deuses – especialmente porque é a esse aspecto humano que os antigos atribuíam muito da maldade arbitrária, que é uma parte triste mas integrante da vida. Portanto, os grandes deuses eram personagens muito interessantes, como agora veremos.

ARTE E CULTURA POSTERIORES: ZEUS E SÊMELE

Gustave Moreau pintou *Júpiter e Sêmele* em 1894-1895, e Rubens retratou *A morte de Sêmele* em 1636. *Sêmele* também se tornou um oratório em três atos por Handel, apresentado primeiro em Londres, em 1744.

⊰ Afrodite (Vênus), ⊱
A IRRESISTÍVEL

Pais: Urano (pai) e uma foice de adamantina

Cônjuge: Hefesto (Vulcano)

Amantes importantes: Ares (Marte), Hermes (Mercúrio), Adônis, Anquises

Filhos: Eneias, Harmonia, Deimos, Fobos, Hermafrodito, Príapo, Béroe

Aspecto primário: deusa do amor e do sexo

Aspectos menores: salvadora dos marinheiros, guardiã das plantas, deusa do casamento e da harmonia civil, mas também das prostitutas

Identificada com: murtas, cisnes, pombas

Templos, oráculos e santuários: em Afrodísias (a cidade de Afrodite, na Ásia Menor), na Acrópole de Corinto, os templos em Roma de Vênus Genetrix e de Vênus e Roma

---

O poder de Afrodite é irresistível...
Ela se move pelo ar, habita na
onda do mar, planta a semente e traz
aquele amor do qual todos nós nesta terra nascemos.
EURÍPIDES, *HIPÓLITO*, 445SS.

Em certo sentido, Afrodite está entre os deuses mais antigos, pois ela faz parte da geração anterior a Zeus. Ademais, todos os deuses (com três exceções, das quais trataremos adiante), como os mortais, estavam sujeitos à sua influência. Como muitos amantes incompatíveis e desafortunados podem testemunhar, Afrodite é perfeitamente capaz de usar seus poderes de modo pernicioso, ou mesmo malicioso.

O cinturão de Afrodite tornava suas usuárias irresistíveis a quem quer que elas desejassem seduzir, e o espelho de Afrodite, com o cabo em forma de cruz, permanece, ainda hoje, como símbolo para seu gênero. Sua mão é quase onipresente nos mitos da Grécia e de Roma, e Zeus, com frequência, atribui seus galanteios à influência de Afrodite

OS GRANDES DEUSES

(embora o Júpiter romano fosse um tanto mais circunspecto em sua conduta). De longe, a representação mais famosa de Vênus/Afrodite é uma estátua danificada de dois mil anos, no Louvre, conhecida como *Vênus de Milo*.

Não é necessário procurar muito antes de encontrar Afrodite ainda hoje: por exemplo, no céu noturno, já que Afrodite é Vênus, a estrela vespertina. Como Vênus – o nome que Afrodite adotou de uma deusa romana menor da fertilidade –, a moça não é apenas um planeta, mas também uma safra de doenças vexatórias espalhadas pelo ato do amor. Como Porné, a encarnação do amor carnal, suas representações (*porne graphe*) têm atraído a atenção excitada de censores ao longo dos tempos, enquanto alimentos que supostamente aumentam o desejo sexual (por exemplo, ostras) são afrodisíacos. A moça aparece em lugares inesperados, como em conexão com a Adônis vermelho-sangue, que representa os restos mortais de seu amante, o belo moço Adônis, morto enquanto caçava. Béroe, a filha de Adônis e Afrodite, tornou-se Beryut – a cidade conhecida hoje como Beirute.

Afrodite teve um romance ilícito com Ares, o deus da guerra (pois amor e guerra são emparelhados com frequência). Dois dos filhos daquele namorico, Deimos e Fobos (Pânico e Medo), ainda circundam seu pai celestial, que os romanos chamam Marte. Fobos é ainda encontrado amiúde na terra em centenas de aspectos, desde a ablutofobia (o medo de tomar banho ou de se lavar) até a zoofobia (o medo de animais).

Museu do Louvre, Paris
A icônica Vênus de Milo.

Afrodite também teve um filho com Hermes (que era Mercúrio para os romanos), e essa criança recebeu uma junção dos nomes de seus pais – Hermafrodito (cf. p. 101). Outro filho (com paternidade em disputa) foi o infeliz Príapo (cf. p. 101), cuja inabilidade de consumar sua irresistível luxúria o deixou maciçamente superdotado. (Ele perseguiu tão apaixonadamente uma ninfa chamada Lótus que os deuses a transformaram na flor de mesmo nome.)

A Guerra de Troia ocorreu, ao menos em parte, porque Afrodite provocou o amor de Páris por Helena (cf. p. 177). Afrodite tinha um interesse próprio no conflito, porque seu filho com um mortal chamado Anquises era um guerreiro troiano. Esse filho, Eneias, mais tarde fugiu de Troia em chamas, depois da vitória grega. Seus descendentes fundaram a cidade de Roma, e, dentre os descendentes de Anquises e Afrodite, estavam elencados os Césares da famosa família Juliana de Roma.

ARTE E CULTURA POSTERIORES:
AFRODITE (VÊNUS)

Não é surpresa que Vênus (Afrodite) seja uma favorita de muitos artistas. Duas famosas representações de seu caso com o belo mortal Adônis são *Vênus e Adônis* (c. 1560), de Ticiano, e *Vênus e Adônis* (da década de 1630), de Rubens. Vênus e Marte são geralmente colocados como par: por exemplo, para um efeito divertido em *Vênus e Marte* (c. 1485), de Botticelli, no qual pequenos faunos brincam com a lança de Marte desmaiado, enquanto Vênus, totalmente vestida, observa. Eles também aparecem em *Vênus, Marte e Cupido* (1490), de Piero di Cosimo; em *Marte e Vênus, alegoria da paz* (1770), de Louis Jean François Lagrenée; e, de certo modo explícito, em *Marte e Vênus surpreendidos pelos deuses* (1610-1614), de Joachim Wtewael, e em *Marte e Vênus unidos em amor* (1570), de Paolo Veronese.

‧₃ Héstia (Vesta), deusa doméstica ₢·

Pais: Crono (pai), Reia (mãe)
Cônjuge: nenhum
Amantes importantes: nenhum
Filhos: nenhum
Aspecto primário: deusa da lareira
Aspecto menor: felicidade doméstica
Identificada com: frutas, óleos, vinhos, vacas de um ano de idade
Templos, oráculos e santuários: na lareira de cada casa, no centro cívico das cidades gregas, no santuário de Vesta, em Roma

---

Héstia, nos altos lares de todos, tanto dos deuses imortais e dos homens que andam sobre a terra, ganhaste morada sempre existente e a mais alta honra: gloriosa é tua porção e teu direito. Pois sem ti mortais não têm banquete, em que alguém derrame devidamente o doce vinho em honra a Héstia por primeiro e por último.
"HINO HOMÉRICO A HÉSTIA", 2.1-6.

Héstia era a filha mais velha de Crono (cf. p. 17) e, paradoxalmente, a mais jovem, já que foi a última a ser regurgitada. "Héstia vem primeiro" era a regra dos gregos e romanos. Em parte por causa de sua posição de mais velha, ela precedia todos os outros deuses em sacrifícios rituais, e também porque Héstia representava o lar e a família.

Como representante da paz e da conciliação, Héstia, voluntariamente, cedeu seu lugar dentre os deuses olímpicos (geralmente para Dioniso, embora nem todas as culturas greco-romanas tivessem os mesmos deuses em seus panteões) para manter o número sagrado de olimpianos como doze. (Por acaso, o sagrado número de doze

Héstia como a romana Vesta.

também explica o número de estrelas na bandeira da União Europeia). Héstia tem um lugar mais fixo na religião grega e romana do que na mitologia, pois a deusa da lareira raramente vagueava para longe de casa. Seu fogo, entretanto, viajava: quando cada cidade grega estabelecia uma nova colônia, eles levavam consigo o fogo sagrado de Héstia para ser alimentado em seu novo lar.

Como Vesta em Roma, ela mantinha ardente o fogo doméstico da nação, e era considerado uma grande má-fortuna ao estado se seu fogo se extinguisse. Em razão disso, um colegiado de moças chamadas Virgens Vestais era encarregado de preservar seu culto e manter o fogo sagrado aceso em seu santuário.

De forma nada surpreendente, dado seu papel como protetora de um lar feliz, os esperançosos fundadores de várias cidades americanas deram o nome de Vesta a seus municípios, e a associação de Vesta com o fogo permanece ainda hoje numa marca popular de fósforos.

⊰ Zeus (Júpiter), ⊱
REI DOS DEUSES

Pais: Crono (pai), Reia (mãe)

Cônjuge: Hera

Amantes importantes: Leto, Leda, Maia, Sêmele, Io, Europa, Deméter, Métis, Ganimedes, Dânae, Mnemosine, Têmis e Alcmena, dentre outras

Filhos de alguma notabilidade: Atena (Minerva), Perséfone, Órion, as Musas, Ares (Marte), Apolo, Ártemis (Diana), Héracles (Hércules), Dioniso (Baco), Hebe (deusa da juventude), Perseu, os Dióscuros, Minos de Creta

Aspecto primário: rei dos deuses

Aspectos menores: senhor das tempestades, juntador de nuvens, protetor dos estrangeiros, garantidor dos juramentos, carrasco dos mentirosos, protetor de Roma, expedidor de prodígios, mantenedor de exércitos

Identificado com: raios, águias, carvalhos

Templos, oráculos e santuários principais: o templo de Júpiter Capitolino em Roma, o templo de Zeus em Olímpia, o oráculo de Zeus em Dodona

*Minha criança, o trovejante Zeus mantém o fim de
tudo em suas mãos e dispõe tudo conforme seu desígnio...
nós, humanos, vivemos um dia após o outro e pouco sabemos
do que ele guarda.*
SEMÔNIDES DE AMORGOS, *LÍRICAS*, 2.1.

O poderoso Zeus com seu raio e sua águia, coroado pela vitória.

É apenas em parte verdadeiro que Zeus era o pai dos deuses olímpicos. Certamente, ele era "pai" no sentido de *paterfamilias*, chefe da casa. Mas ele era irmão de outros deuses, incluindo sua esposa Hera (Juno), Poseidon (Netuno) e Hades (Plutão). Nem Poseidon nem Hades respeitavam muito seu irmão mais jovem, já que, como aponta Poseidon, cada um dos três se tornou senhor de seu reino por puro acaso:

Zeus pode ser forte, mas excede se
me ameaça com violência, pois sou de mesma estatura.
Nós, três irmãos que Reia pariu para Crono –
Zeus, eu próprio e Hades que reina abaixo –,
tomamos, cada, uma parte igual quando céu e terra
foram divididos. Tiramos a sorte, e o acaso me deu
minha eterna morada no mar, a Hades, o reino
infernal, e a Zeus, o céu e as nuvens. A terra
e o poderoso Olimpo são comuns a todos, e Zeus
não pode me dizer aonde ir… Como ele se atreve a me ameaçar
como se eu não tivesse importância? Se ele deseja
falar mais alto, que o faça com seus filhos e
filhas, que devem obedecê-lo.
HOMERO, ILÍADA, 15.191SS.

Deus dos céus, Zeus foi, desde os tempos mais remotos, um deus das condições climáticas, e seu epíteto "juntador de nuvens" se manteve com ele até a era clássica. Além disso, como líder da revolta contra Crono, Zeus foi também aceito como o rei dos deuses (embora com ressentimento por parte de Hades e Poseidon), e, assim, era responsável por manter a ordem no Olimpo – e, consequentemente, por todo o cosmo.

Como as cidades antigas estavam sujeitas a surtos periódicos de desordem, as autoridades da cidade eram fervorosas em suas preces a Zeus Políade, o senhor das cidades. Na vida cotidiana, Zeus era o senhor da hospitalidade, e os viajantes e estrangeiros eram bem-vindos em seu nome. Claro, ninguém cultuava o rei dos deuses com mais entusiasmo do que aqueles dedicados seguidores da disciplina e da ordem, os romanos. Para eles, Zeus era Júpiter *Optimus Maximus*, Júpiter o Melhor e Maior, que representava tudo o que era correto e cultuável no cosmo. Foi sob as águias de Júpiter que as legiões espalharam a versão romana da civilização pelo mundo mediterrâneo e além. Faz sentido que, hoje, o maior de todos os planetas do sistema solar seja nomeado Júpiter, o mais poderoso de todos os deuses.

Zeus antes de Hera

Como os gregos e os romanos, os deuses não eram polígamos, e, como os gregos e os romanos, os deuses machos acreditavam firmemente que a fidelidade conjugal se aplicava a suas esposas, e não a si próprios. Até o momento em que se estabeleceu com Hera, Zeus já estava bem acomodado em seu papel de "papai Zeus", com um prolífico número de rebentos. Apesar dos maiores esforços de sua esposa, o casamento quase não dificultava sua impetuosa promiscuidade.

Museu do Louvre, Paris
Cortejo, estilo olímpico: Zeus e amoratrix.

OS FILHOS IMORTAIS DE ZEUS (NOME DA MÃE EM PARÊNTESES)

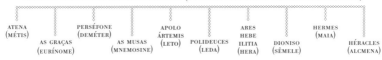

Zeus primeiro se uniu a **Métis**, a personificação do pensamento, e precisou ser ligeiro para se esquivar do Princípio de Neoptólemo e evitar ser deposto pelo filho dessa união (cf. p. 19 e p. 79). Depois foi com **Têmis**, a personificação da tradição e da boa conduta. Dentre suas filhas está Irene (Paz). Então veio **Eurínome**, a mãe (dizem alguns) das três Cárites ou Graças (Brilho, Festividade e Alegria).

A próxima consorte era a irmã de Zeus, **Deméter**, de quem nasceu Perséfone.

Então a titã **Mnemosine** (memória), de quem nasceram as Musas, as quais, incluindo a dança, o teatro e a poesia, têm sido a fonte da criatividade humana e têm testemunhado seus melhores frutos preservados em templos dedicados à sua inspiração: os museus.

Hera era uma séria pretendente, se já não fosse a esposa, quando Zeus começou seu namorico com **Leto**, (sobre quem, oportunamente, sabemos pouco, pois Leto significa "a escondida"). Quando esta ficou grávida de Zeus, Hera tentou impedir que ela desse à luz, tanto na terra quanto no mar. Entretanto foi encontrado, por fim, um lugar conveniente na sagrada Delos, no Egeu, que (alega-se), sendo uma ilha flutuante, não estava nem em terra nem no mar. E foi ali que nasceu o olimpiano Apolo. Leto também deu à luz Ártemis (Diana), deusa virgem da caça, e isso colocou Leto numa posição acima de Hera, que tinha gerado para Zeus apenas um olimpiano, o petulante e sedento de sangue Ares, deus da guerra.

Apolo (com a lira) entre sua mãe e Ártemis (com o leopardo).

Os flertes de Zeus continuavam a toque de caixa – de fato, a criação da mulher abriu para ele um mundo todo novo de aventuras extraconjugais. Muito do que decorreu das inúmeras seduções de Zeus e da reação vingativa de Hera moldou o mundo da mitologia e, assim, o mundo moderno.

⚜ Hera (Juno), a bela ⚜

Pais: Crono (pai), Reia (mãe)
Cônjuge: Zeus (Júpiter)
Amantes importantes: nenhum
Filhos: Ares (Marte), Hefesto, Ilitia, Hebe
Aspecto primário: consorte de Zeus
Aspectos menores: protetora do casamento, guardiã das mulheres, Juno admoestadora
Identificada com: pavões, cucos, romãs
Templos, oráculos e santuários: o templo de Hera próximo a Argos; o templo de Hera em Agrigento, na Sicília; o templo de Juno Moneta em Roma

---

Hera, rainha do céu, filha do poderoso Crono.
HOMERO, ILÍADA, CANTO 5.

Hera, a eterna e sofredora esposa de Zeus, não podia retaliar diretamente contra seu marido pelas infidelidades dele e, assim, descontava nas desafortunadas amantes, muito embora elas dificilmente estivessem em posição de recusar o rei dos deuses. É possível transpor o caráter de Hera para os exemplos de desequilíbrio entre os sexos no mundo real, nos quais, por exemplo, mestres se impõem contra moças escravas em sua propriedade doméstica, e as moças podem ser punidas pela esposa ciumenta por sofrer o que ambas não tinham o poder de evitar.

O nome de Hera pode ser traduzido aproximadamente por "Dama" e, provavelmente, vem da mesma raiz que o masculino "herói". Enquanto Zeus é simbolizado pela águia, Hera, a rainha dos deuses, é representada

Uma Hera romana de aparência severa.

pelo orgulho e pela ostentação do pavão. Apesar de sua posição na realeza, ela está bastante subordinada a Zeus, e ele, certa vez, a puniu, pendurando-a da abóbada celeste com bigornas acorrentadas aos tornozelos por sua vingativa perseguição contra o filho dele, Héracles.

A SEDUÇÃO DE HERA

Hera era a divindade padroeira da cidade de Argos, e a lenda conta que Zeus a seduziu nos bosques próximos àquela cidade. Usando seus talentos como um deus do clima, ele criou uma chuva conveniente e apareceu para Hera como uma ave cuco encharcada e aflita. Hera pegou a ave e a colocou em seu colo para aquecê-la, e Zeus, estando onde desejava, imediatamente, assumiu sua forma normal e se aproveitou totalmente da situação – embora, de acordo com os argivos, Hera tenha conseguido restaurar sua virgindade ao se banhar numa fonte sagrada próxima à cidade, algo que ela tornou habitual todo ano.

Gamélion, o mês consagrado à rainha de Zeus, tornou-se um favorito para casamentos na Atenas antiga, e, como Juno, a deusa sorria para muitas noivas que se casavam em seu mês de junho. Hera era uma esposa fiel a Zeus, todos os que tentaram seduzi-la encontraram um fim sangrento. Sua dedicação a um casamento disfuncional a tornou protetora da instituição como um todo, e as noivas gregas e romanas, com frequência, recebiam maçãs como presentes, uma simulação das maçãs de ouro dadas a Hera em seu casamento pela avó Gaia, ou romãs, fruta também associada à deusa. Em seus diferentes aspectos de virgem, esposa e viúva, Hera cobria toda a gama do que se esperava de uma nobre antiga e era vista como protetora de seu gênero como um todo.

> ### A FORMAÇÃO DA VIA LÁCTEA
>
>
>
> Enquanto outros deuses têm planetas nomeados em sua honra, Hera tem direito a uma propriedade extraterrestre maior. Héracles – Hércules para os romanos – era filho de um adultério de Zeus e foi, por conseguinte, perseguido por Hera de forma selvagem – muito embora (talvez numa tentativa de evitar a ira da deusa) a criança fora nomeada "Glória de Hera". De acordo com uma versão do mito, Zeus, certa vez, ludibriou Hera para que amamentasse o infante Héracles, a fim de torná-lo imortal. Quando descobriu o embuste, Hera arrancou com violência a criança de seu peito, deixando um jorro pelo céu que ainda é chamado "Via Láctea". O incidente foi ilustrado, mais tarde, por Rubens em sua pintura *O nascimento da Via Láctea* (c. 1637).

Para uma infeliz ninfa, Zeus designou a tarefa de desviar a atenção de Hera e, assim, convencê-la com sua conversa de que ela não deveria procurar saber que seu infiel marido havia saído para prevaricar. Hera descobriu a artimanha e amaldiçoou a ninfa para que fosse apenas capaz de repetir o que lhe fosse dito. A ninfa, Eco, tem feito seu trabalho desde então.

Como o olímpico Ares (Marte), os outros filhos de Hera com Zeus eram Hebe, a deusa da juventude; e Ilitia, filha que se tornou a deusa do trabalho de parto. Nisso havia certa simetria, pois, em geral, se reconhecia que um homem saindo em campanha sob a égide de Ares suportava dores e riscos proporcionais àqueles que uma mulher grávida sofria sob Ilitia. Hera também teve um filho sozinha, sem intervenção masculina, chamado Hefesto (Vulcano), o ferreiro, o deus dos artesãos, que era, ironicamente, malformado, feio e coxo, e, portanto, desprezado por sua elegante e bela mãe. No fim das contas, entretanto, por meio de sua inteligência e força de caráter, Hefesto mostrou que era muito capaz de se defender sem claudicar, ao menos no sentido metafórico.

Durante a Guerra de Troia, Hera foi uma resoluta apoiadora dos gregos e até desafiou o poderoso Zeus por sua causa. Mais tarde, ela perseguiu de forma vingativa Eneias e os demais sobreviventes do povo troiano. Foi somente depois de ser apaziguada que permitiu aos refugiados se estabelecer na Itália e fundar a raça romana. Enquanto Juno, Hera tomou sua posição no Monte Capitolino como consorte de Júpiter e a maior deusa de Roma. A casa da moeda no templo de Juno Moneta, no capitólio romano, nos deu a palavra "moeda".

⊰ POSEIDON (NETUNO), O TREME-TERRA ⊱

Pais: Crono (pai), Reia (mãe)

Cônjuge: Anfitrite

Amantes importantes: Cênis, Etra, Deméter (Ceres), Álope, Teofane, Tiro, Medusa, Amimone

Filhos: Tritão, Teseu, Pélias, Neleu, Náuplio, Árion, Polifemo

Aspecto primário: deus do mar

Aspectos menores: treme-terra, senhor dos cavalos

Identificado com: cavalos

Templos, oráculos e santuários: o templo de Poseidon em Súnion, próximo a Atenas; o templo de Poseidon em Posidônia (Pesto), na Itália; o altar a Netuno no Circo Flamínio, em Roma

---

Poseidon, o Grande Deus, que move a terra e
o mar infértil... dupla a tarefa que os deuses te deram,
ser o domador de cavalos e o salvador de naus.
"HINO HOMÉRICO", 2.1SS.

OS GRANDES DEUSES

Poseidon compete com Atena pelo patronato de Atenas.

Como seus irmãos e suas irmãs (com exceção de Zeus), Poseidon, provavelmente, foi engolido por Crono assim que nasceu. Há um elemento de dúvida, porque existe uma tradição à parte em que Poseidon, como Zeus, haveria escapado à deglutição, sendo criado em segredo. De acordo com essa versão dos eventos, assim como Zeus fora substituído por uma pedra, Poseidon teria sido substituído por um potro e crescido na Ilha de Rodes, juntando-se, depois, a seu irmão mais novo na revolta contra Crono.

Poseidon abordava seu papel como deus do mar com considerável entusiasmo, tomando como consorte a deusa do mar Anfitrite e construindo para si um palácio de ouro e pedras preciosas no fundo do mar. Ele é associado ao tridente (literalmente "três dentes"), uma lança de pescador feita pelos Ciclopes que ele tomou como símbolo. Poseidon poderia ser majestoso e inspirar admiração ou ser violento e caprichoso – atributos que compartilha com seu domínio aquático. Ele protegia seu reino de forma zelosa contra a interferência de outros deuses e não tolerava intromissão nem mesmo de Zeus, cuja autoridade alhures ele reconhecia com rancor. Não gostava dos troianos, mas, ainda assim, certa vez, impediu Hera de usurpar seus privilégios e afundar as naus deles.

67

A COMPETIÇÃO POR ATENAS

Poseidon perdeu para Atena quando disputaram pelo patronato de Atenas. A deusa ofereceu aos cidadãos a oliveira e as artes do cultivo. Poseidon golpeou a rocha com seu tridente e fez surgir uma fonte. Contudo, como ele era um deus do mar, a água da fonte era salgada e não muito útil. Os homens de Atenas preferiam Poseidon (suspeitando que o deus do mar seria um mau perdedor), mas as mulheres optaram maciçamente por Atena, e a opinião delas prevaleceu. Conforme esperado, quando soube do resultado, Poseidon puniu os atenienses com um terrível dilúvio.

Poseidon se tornou o patrono não apenas da cidade de Corinto, mas de todo o Istmo (cercado como é por dois mares); no entanto, perdeu o patronato de Argos para Hera. Como ocorrera com a perda do patronato de Atenas (cf. o box anterior), Poseidon levou a derrota para o lado pessoal: ainda mais porque Argos havia sido fundada por seu filho Náuplio, que ele gerara com a ninfa Amimone. (Outros dentre a horda de filhos de Poseidon incluem Teseu, o matador do Minotauro; e Polifemo, o ciclope de um olho cegado por Odisseu.)

Como a maioria dos deuses machos maiores, Poseidon tinha uma libido desinibida e uma complexa vida amorosa. Medusa, que havia sido uma bela moça, tornou-se um monstro depois que Atena, ultrajada, a puniu por fazer amor com Poseidon no chão de seu templo. Outra amante, Teofane, foi seduzida por Poseidon sob a forma de um cordeiro – e seu rebento foi também um cordeiro, embora com velo de ouro (cf. p. 136). Refletindo a natureza arbitrária e ingovernável do mar, Poseidon era extremamente despreocupado com tabus, seja de estupro ou de incesto. Certa vez, ele seduziu sua própria neta e violentou uma bela jovem chamada Cênis (posteriormente, ele lhe concedeu o desejo de se tornar macho, para que ela nunca mais sofresse tal experiência). Ele rompeu ambos os tabus simultaneamente quando violentou sua irmã Deméter (a Ceres romana) disfarçado de garanhão depois que ela se refugiara dele se disfarçando de égua numa manada de cavalos.

Cavalos são um tema recorrente relacionado a Poseidon, a ponto de o deus ser, às vezes, chamado "Poseidon dos cavalos". O sacrifício de um cavalo no mar era considerado pelos gregos e romanos um modo seguro de ganhar o favor do deus. O favor de Poseidon era muito importante, pois ele era não apenas o senhor do mar, mas também o sacudidor da terra. Por vezes, ele combinava os dois papéis ao estremecer as cidades com um violento terremoto e, em seguida, com um devastador tsunami marítimo, varrendo quaisquer sobreviventes.

Para os romanos, Poseidon se tornou Netuno por meio da fusão com o deus etrusco do mar Nethuns. No mundo moderno, ele é o planeta Netuno, e, agora que seu irmão Hades, como Plutão, foi demovido do *status* de planeta, ele é o planeta que ocupa a posição mais afastada do sistema solar. Tritão, o filho com cauda de peixe de Netuno e Anfitrite (ilustrado anteriormente), é, atualmente, uma das luas daquele planeta.

ARTE E CULTURA POSTERIORES:
POSEIDON (NETUNO)

Jacobsz van den Valckert mostra Netuno como um deus do cavalo em *Netuno sobre um cavalo* (c. 1610), enquanto *O triunfo de Netuno* (1634), de Nicolas Poussin, e o mural *O casamento de Poseidon e Anfitrite* (1802-1805), de Felice Giani, mostram o deus em seu ambiente marinho mais familiar.

⚜ Hades (Plutão), senhor dos mortos ⚜

Pais: Crono (pai), Reia (mãe)
Cônjuge: Perséfone
Amantes importantes: Minta, Leuce
Filhos: as Fúrias
Aspecto primário: deus do mundo subterrâneo
Aspectos menores: o invisível, o rico, o anfitrião de todos
Identificado com: ovelhas negras, ciprestes, narcisos
Templos, oráculos e santuários: o templo de Hades em Élis; o templo de Plutão em Duga (moderna Tunísia); o Necromanteion, "o oráculo dos mortos" às margens do Rio Aqueronte, no noroeste da Grécia

Hades, o senhor de muitos, sinistro mestre do mundo subterrâneo.

*E a terra se abriu escancarada na planície... e o Senhor,
o Anfitrião de Muitos, com seus cavalos imortais surgiu...
o filho de Crono, aquele que tem muitos nomes.*
"HINO HOMÉRICO A DEMÉTER", 2.15SS.

Hades é o deus que rege o mundo subterrâneo, um reino do qual seu nome se tornou sinônimo. O nome significa "o oculto", pois Hades possuía um elmo que o tornava invisível a todos – mesmo a seu pai Crono, tornando a ajuda de Hades crucial para a ascensão de Zeus ao poder. Embora regesse o mundo subterrâneo, Hades não era Tânatos (Morte), que era um dos filhos da Noite (cf. p. 16).

Há poucos templos a Hades, e ele nunca teve muitos adoradores, pois não tinha interesse nos vivos. De todo modo, rei ou camponês, ateu ou adorador, Hades apanhou-os todos no fim.

Hades era uma divindade ctônica (que significa "da terra"), pois seu reino, ainda que não estivesse propriamente sob a terra, era, sem dúvida, acessado a partir do subterrâneo. O próprio Hades era friamente imparcial, raramente injusto e, com certeza, não era mau. (Do mesmo modo, os *daemones*, embora criaturas de grande poder, não são demônios conforme se entende hoje.) Assim como não é Inferno, o reino de Hades também não é exatamente Tártaro, aquele oposto sombrio de Gaia, mas algo que Hades criou para si – do qual Tártaro é o abismo mais profundo, reservado aos Titãs e a casos especialmente merecedores dentre os humanos (cf. p. 12).

Proserpina (Perséfone) raptada; relevo de Vila Albani, Roma.

Dado que era particularmente má-sorte para os humanos pronunciar seu nome e, assim, fazer Hades se interessar por eles, é normal que haja poucas histórias nas quais o rei dos mortos seja o protagonista.

Hades era uma figura austera, de cabelos escuros e ancião, num carro puxado por cavalos retintos. Assim ele apareceu no mais famoso de seus mitos, quando raptou Perséfone, a filha de Deméter, que, desde então, tem passado parte de cada ano no mundo subterrâneo como sua rainha. Durante esses meses, a mãe de Perséfone, a deusa de tudo o que cresce, faz uma greve, e os campos ficam incultos e a chuva não cai. Assim, como Saturno (o deus romano com quem Hades era com frequência associado), Hades tinha alguma influência no clima e no cultivo. Além disso, muitos desses cultivos recebem um sabor a mais pela Minta, uma ninfa amada por Hades que Perséfone, ciumenta, transformou na menta, uma erva adequadamente ardente.

Hades era uma figura sinistra que poucos queriam invocar (aqueles que o faziam, pela razão que fosse, faziam-no batendo suas palmas no chão). Como muitas almas acabavam em sua intendência, ele era chamado, eufemisticamente, de *plutos*, "o rico", o nome adotado pelos ultrassupersticiosos romanos. No mundo moderno, essa versão sofreu mutações por meio do planeta, numa manifestação inesperada do deus como um burlesco cão de desenho animado.

Hades é mais bem conhecido, hoje, a partir do metal que carrega a versão romana de seu nome. Os que fazem plutônio escolheram chamá-lo assim porque não apenas está dentre os venenos mais mortíferos conhecidos ao homem, mas também é a substância mais capaz de transformar Gaia em outro Tártaro.

⊰ Deméter (Ceres), a deusa do verde ⊱

Pais: Crono (pai), Reia (mãe)

Cônjuge: nenhum

Amantes importantes: Poseidon, Zeus, Iasion

Filhos: Perséfone, Árion, Pluto, Boötes (Filomelo)

Aspecto primário: deusa das plantas e das frutas

Aspectos menores: deusa da agricultura, da fertilidade e dos recém-casados

Identificada com: grãos, porcos, frutas, papoulas

Templos, oráculos e santuários: o local dos Mistérios em Elêusis, o templo de Ceres em Pesto, o templo de Deméter em Naxos

Deméter com seu cetro e festão de grãos

*Deméter de ricos cabelos...
senhora da dourada
espiga e das gloriosas frutas.*
"HINO HOMÉRICO A DEMÉTER", 2.2SS.

Deméter é uma deusa muito antiga, cultuada muito antes que os doze olimpianos fossem canonizados, e isso é refletido em seu nome, uma forma antiga das palavras "terra-mãe". Com Héstia, era uma das três filhas de Crono, e, embora seja uma das grandes deusas do panteão antigo, passava pouco tempo no Olimpo, preferindo vagar pela terra. Ela, geralmente, fazia isso numa variedade de disfarces, já que seus privilégios oficiais eram um tanto conspícuos – era uma deusa brilhante numa carruagem puxada por dragões.

Uma das responsabilidades especiais de Deméter era assegurar que os grãos crescessem de semente a uma safra totalmente madura, e, de fato, Deméter tem cabelo loiro cor de trigo. Seu único romance com um mortal ocorreu num campo arado três vezes, e um dos rebentos dessa união foi elevado aos céus como a constelação Boötes, o boieiro.

Os mistérios eleusinos de Deméter eram celebrados próximo a Atenas. Os iniciados nos mistérios estavam terminantemente proibidos de falar o que viam.

Tanto os atenienses quanto os sicilianos afirmavam ter sido os primeiros a quem Deméter ensinara a arte do cultivo de grãos, e, como um bônus, Deméter também dera aos atenienses a figueira; os figos de Atenas eram, em geral, considerados superiores a quaisquer outros no mundo antigo. Os romanos conheciam Deméter como Ceres, e, ainda hoje, milhões pelo mundo comungam com a deusa ao derramar leite em seu cereal matinal.

Na astronomia, como seu genro Pluto, Ceres é um planeta anão, o maior no cinturão de asteroides. De forma adequada, o símbolo para Ceres é uma foice.

O mais famoso dos mitos associados a Deméter é o de sua procura pela filha Perséfone (Proserpina para os romanos), que fora raptada por Hades. Contam-se muitas histórias das peregrinações de Deméter durante sua procura, incluindo uma na qual ela foi violentada por Poseidon sob o disfarce de um cavalo (cf. p. 69). O rapto também revelava o poder de Deméter, pois, se ela não permitisse que algo crescesse na terra (e durante sua itinerância ela não permitiu), então a humanidade pereceria e os deuses não receberiam sacrifícios. Foi essa ameaça que forçou Zeus à mesa de negociação e fez com que Hades libertasse sua cativa.

Entretanto Hades era notoriamente relutante em desistir de qualquer um que adentrasse seu reino sombrio, e isso foi ainda mais intenso no caso de sua relutante e bela esposa. Ele, assim, convenceu Perséfone a comer algumas sementes de romã, pois todos que comessem na casa de Hades estavam fadados a permanecer no mundo subterrâneo para sempre. Por fim, um acordo foi estabelecido, por meio do qual Perséfone permaneceria com Hades durante uma parte do ano, mas, em outra, se juntaria à mãe na terra acima.

A FAMÍLIA AMALDIÇOADA DE TÂNTALO

A história de Tântalo e seus descendentes é um grande subenredo que se estende pela Idade Heroica inteira do mito grego, numa sangrenta e dramática novela televisiva. Tântalo era rei da Lídia, no litoral ocidental de onde, atualmente, fica a Turquia. Enquanto oferecia um banquete para os deuses olímpicos, Tântalo cometeu uma ofensa imperdoável. Servir o filho de alguém à mesa teria sido considerado estranho por qualquer grego, divino ou não, mas servir o próprio filho como prato principal (em razão de um descuido logístico e da falta de qualquer outro prato de carne) era de um mau gosto apavorante, mesmo que não aparentasse ser o filho. Deméter, preocupada com sua filha desaparecida, distraidamente, mastigou um ombro inteiro. O menino, chamado Pélops, foi restaurado à vida, embora com uma prótese de marfim no lugar do ombro. Por sua conduta revoltante, Tântalo foi sentenciado a uma eternidade de fome e sede no Tártaro, em pé submerso até o peito em água, que recuava quando ele tentava bebê-la, e com uvas em frente ao nariz que saíam de seu alcance quando tentava comê-las. (De onde temos a palavra "tantalizar".) Pélops herdou a Lídia, mas foi expulso de seu reino, em parte pelo Rei Ilo, que havia fundado uma cidade próxima chamada Ílio (Troia). Pélops fugiu para a Grécia, onde ganhou a filha do rei de Élis por vencê-lo numa corrida de carros – ele sabotara o carro do rei de modo tão eficiente que o rei morreu quando o carro quebrou. O condutor, um filho de Hermes, tinha parte na trama. Mas, como pagamento, Pélops o matou.

Embora tenha sido purificado por Hefesto e tenha seguido conquistando a maior parte do sul da Grécia (portanto, o Peloponeso), a inimizade de Hermes era implacável e arruinou as vidas do filho de Pélops – Atreu (incesto, fratricídio e canibalismo); a vida de seus netos – Agamêmnon (assassinato, morte da filha e adultério) e Menelau (Helena e a Guerra de Troia); e de seu bisneto Orestes (matricídio).

ARTE E CULTURA POSTERIORES:
PERSÉFONE (PROSERPINA)

TATE, LONDRES
PROSERPINA, DE ROSSETTI, UMA VERDADEIRA RAINHA
DO MUNDO SUBTERRÂNEO.

Perséfone é lembrada na música por *Perséfone* (1933), de Stravinsky. A história foi também captada na pintura por Niccolò dell'Abate no século XVI (*O rapto de Prosepina*); por Dante Gabriel Rossetti (*Proserpina*, 1874, que a mostra comendo a romã); e por Frederic Leighton (*O retorno de Perséfone*, 1891). Em 1621-1622, Bernini produziu *Pluto e Proserpina* em mármore – que, atualmente, pode ser encontrada na Galleria Borghese, em Roma.

Quando sua filha Perséfone vai embora, Deméter fecha a loja e a terra se torna seca e infértil. Mas, quando Perséfone retorna, as chuvas trazem flores abundantes e fertilidade, e a colheita se radica.

4

OLIMPO:
A PRÓXIMA GERAÇÃO

Certos deuses chegaram aos doze grandes celestiais do panteão olímpico por caminhos estranhos e variados. Isso é verdadeiro tanto em relação às versões dadas pelos narradores antigos quanto às conjecturas por vezes mais críveis dos etnógrafos modernos e dos arqueólogos linguistas. O contexto da primeira geração de deuses olímpicos – Afrodite, Zeus, Hera, Poseidon, Deméter e Hades – foi fornecido no capítulo anterior (embora muitos gregos e romanos se sentissem mais confortáveis deixando Hades fora de suas versões do panteão). Os demais deuses olímpicos são filhos dessa primeira geração, muito em função dos esforços infatigáveis de Zeus. Aqui, exploramos as vidas e os mitos dessa segunda geração.

ATHENA (MINERVA),
A DEUSA DE OLHOS GLAUCOS

Pais: Zeus (pai), Métis (mãe)

Cônjuge: nenhum

Amantes importantes: nenhum

Filhos: nenhum

Aspecto primário: deusa da razão

Aspectos menores: deusa do combate, deusa da habilidade e da engenhosidade (Atena Ergane, de onde vem "ergonômico")

Identificada com: olivas, corujas, gansos (de onde vem a história infantil *Contos de Mamãe Gansa*)

Templos, oráculos e santuários: o Pártenon na Acrópole de Atenas, o templo de Atena Políade (Atena da cidade) em Rodes, o templo da Tríade Capitolina (Júpiter, Juno e Minerva) em Roma

Atena de olhos glaucos, senhora do conhecimento e da guerra.

Ela teceu um retrato de si própria portando um escudo e, em sua mão, uma lança... lá mostrando como ela golpeou com sua lança a terra fértil, da qual um ramo de oliva apareceu.
"ATENA NO TEAR", LIVRO 6 DAS METAMORFOSES DE OVÍDIO

De todos os deuses, Atena é a mais razoável, pois nasceu da razão. Enquanto outros deuses representam cegas forças da natureza ou paixões ingovernáveis, Atena reside, principalmente, na mente dos seres humanos, seres civilizados. Como deusa, Atena representa a lógica e a racionalidade, embora em seu aspecto humano ela também seja capaz de partidarismo e inveja. Mas, como Héstia, Atena é sempre imune a Afrodite.

Métis, a mãe de Atena, era uma filha de Oceano (cf. p. 23) e incorporava o pensamento puramente abstrato. Quando ela se uniu a Zeus, percebeu-se que um filho herdaria o poder do pensamento abstrato de Métis e combinaria isso à aplicação prática de Zeus, possuindo a habilidade de governar o universo. Entretanto essa percepção chegou muito tarde a Zeus, pois Métis já estava grávida. Vimos que, uma vez criada, a vida é divina e, portanto, essencialmente indestrutível (cap. 2 passim). Então Zeus roubou o truque de seu pai e engoliu a criança inteira. Dentro de Zeus, Atena migrou naturalmente ao assento da razão, o cérebro. Lá, ela deu a seu pai uma dor de cabeça de rachar. A parte "de rachar" da dor de cabeça é, aqui, um tanto literal, pois Hefesto descobriu a causa do desconforto de seu padrasto e golpeou a cabeça dele com um machado. Da testa de Zeus emergiu Atena; alguns dizem que totalmente crescida e já vestida com armadura, outros dizem que como uma criança que foi criada por Tritão, o filho de Poseidon.

Museu do Louvre, Paris
O nascimento de Atena, de uma pintura em vaso do século VI a.C.

Hefesto e Atena compartilhavam uma ligação desde sempre: ela como uma deusa da engenhosidade, ele como o patrono dos artesãos. Apenas Hefesto ousou testar quão seriamente Atena levava sua posição de deusa virgem e chegou mais longe que qualquer um, humano ou divino, ao conseguir depositar um pouco de seu sêmen na coxa dela. Atena o limpou de forma desdenhosa, e ele caiu na terra, onde semeou o pai dos atenienses (ou assim afirma o povo daquela cidade). Nenhum outro deus arriscara sua sorte daquele modo, pois, como Atena Prômacos, a deusa é terrível em combate. Ela é também invencível em sua Égide, um escudo talhado em ouro ou revestimento de escudo, ou, ainda, uma couraça de pele de cabra feita para ela por Hefesto (e a qual mesmo Zeus precisava pegar emprestada em momentos críticos). Embora Atena não fosse vingativa (o que não seria razoável), ela poderia ser terrivelmente perseverante. Ademais, Nike (a deusa da vitória, que ainda é seriamente venerada pelos patronos de certa marca de equipamentos de esporte) está sempre perto de Atena, que nunca contempla a derrota. (Numa tradição separada, tanto Atena quanto Nike são filhas do titã Palas, que é a razão pela qual se encontram referências a Atena Palas e Atena Nike.)

ATENA E ARACNE

Enquanto muitas das divindades camaradas de Atena têm uma tendência à impetuosidade, Atena, geralmente, tentava usar a razão antes de se valer de métodos mais arbitrários. Assim, quando uma qualificada tecelã na Ásia Menor afirmou que suas habilidades eram superiores às da própria Atena, a deusa tentou persuadi-la a não perseguir tal presunção – pois, afinal, Atena tinha inventado esse ofício. A mulher se recusou a recuar e, na inevitável competição de tecelagem que se seguiu, produziu um resultado bastante digno. Isso foi um desafio não apenas contra os esforços de Atena, mas contra os deuses em geral, pois as cenas que ela teceu mostravam os olímpicos em seu lado mais libidinoso e irresponsável. Essa ousada mulher, Aracne, foi transformada numa aranha por desafiar os deuses. Mas Atena não podia negar que Aracne tinha provado seu ponto, e é por isso, como muitas outras pessoas razoáveis, que Atena tem aracnofobia – aversão a aranhas.

Atena se tornou a patrona de Atenas quando seu povo escolheu a dádiva da oliveira em detrimento da fonte salgada de Poseidon (cf. p. 68). Mais tarde, ela ajudou os atenienses a cultivar grãos também. Ela e a cidade se beneficiaram mutuamente, com Atenas vindo a simbolizar as dádivas intelectuais que a Grécia concedeu ao mundo e com os atenienses erigindo o belo templo a Atena a Deusa Virgem (Atena Pártenos), sobre sua Acrópole.

ARTE E CULTURA POSTERIORES:
ATENA (MINERVA)

A disputa com Aracne há muito tem atraído artistas. Velásquez a retratou em seu famoso *Las hilanderas* ["*As fiandeiras*"], de 1657. De modo mais geral, Atena foi retratada por Frans Floris (*Atena*, c. 1560), Paris Bordone (*Atena rejeitando os avanços de Hefesto*, c. 1555-1560), Gustav Klimt (*Palas Atena*, 1898) e Jacques-Louis David (*O combate de Marte e Minerva*, 1771). Na escultura, uma das representações mais notórias é aquela de Atena Pártenos na recriação de seu Pártenon em Nashville, Tennessee.

Museu do Louvre, Paris
Minerva leva a melhor sobre Marte na pintura de Davi.

◄ Febo Apolo, o deus resplandecente ►

Pais: Zeus (pai), Leto (mãe)
Cônjuge: nenhum
Amantes importantes: Sinope, Corônis, Marpessa, Jacinto, Dafne
Filhos: Asclépio, Mileto e Lino
Aspecto primário: deus da profecia
Aspectos menores: deus da música e da cura, protetor dos rebanhos e de novas cidades
Identificado com: águias, cobras, corvos, cigarras, lobos, golfinhos, liras, loureiros, número 7 (sua data de nascimento)
Templos, oráculos e santuários: o oráculo de Delfos; o templo de Apolo no monte Palatino, em Roma; a ilha sagrada de Delos

Gravura do Apolo de Belvedere, uma famosa obra-prima da escultura clássica.

*"A lira e o arco recurvo serão minhas mais queridas posses
e anunciarei à humanidade o infalível desígnio de Zeus."
Assim disse Febo, o deus de longos cabelos que atira de longe.
E ele começou a caminhar pelas amplas vias da terra para
o fascínio de todas as deusas.*
"HINO HOMÉRICO A APOLO", 2.133-2.139.

Conforme descrito anteriormente (cf. p. 62), Apolo nasceu em Delos, gêmeo de sua irmã Ártemis, com quem compartilhou o amor pelo arco e um talento para se desfazer de maneira sanguinária daqueles que o ofendiam. De muitos modos, Apolo é o mais humano dos deuses, sendo tanto privilegiado como desafortunado, civilizado, mas ainda capaz de um barbarismo tenebroso. Os múltiplos lados de Apolo são também vistos em seu portfólio divino, que abrange diversos aspectos. Ele é o deus da profecia e o patrono das artes, e, embora seja um deus da cura, suas flechas matam por meio de doenças.

Quando adultos, Apolo e Ártemis se ocuparam de refazer os passos de sua mãe quando ela fugira da ira de Hera. No caminho, demonstraram àqueles que negaram santuário a Leto que havia coisas piores do que a desaprovação de Hera – e essas coisas incluíam Apolo e Ártemis. Quem ofendeu Leto em suas viagens foi um dragão chamado Píton (que, mais tarde, emprestou seu nome a uma espécie de cobra enorme). Apolo rastreou Píton até seu covil, uma caverna no Monte Parnaso, e lá a matou. Como Píton tinha o hábito de dar respostas oraculares a partir de sua caverna, Apolo assumiu essa função, e seu oráculo em Delfos, no Parnaso, tornou-se um grande santuário. Ele obteve seus primeiros sacerdotes ao interceptar uma embarcação que carregava homens sagrados de Creta e, disfarçado como um ser aparentando um peixe, forçou-os a seguir para Delfos. O ser pisciforme permaneceu depois que o espírito do deus o abandonou e recebeu o nome da destinação, tornando-se Delphinium – o delfim.

Apolo levava muito a sério seu trabalho como patrono das artes. Ele tomou as Musas sob sua responsabilidade, e, ainda hoje, muitas cidades têm múltiplos santuários a Apolo em odeões – originalmente, templos onde a música e o teatro eram celebrados.

APOLO E MÁRSIAS

Certa vez, Atena começou a tocar a flauta, mas desistiu, porque fazia suas bochechas inflarem de maneira indecorosa. O instrumento descartado foi encontrado por um sátiro chamado Mársias, que logo se tornou proficiente. Em sua húbris, Mársias desafiou Apolo, deus da música, para uma competição. Embora tanto o deus quanto o sátiro tenham tocado igualmente bem, Apolo foi julgado vencedor, pois conseguia tanto tocar segurando seu instrumento de ponta-cabeça como acompanhá-lo com o canto. Sugeriu-se que houve algum favoritismo por parte das juradas, pois elas eram as Musas, que estavam subjugadas a Apolo. O outro jurado, o Rei Midas (cf. p. 105), registrou um voto dissidente da maioria e foi recompensado por Apolo com um par de orelhas de burro transplantadas em sua cabeça. Mársias sofreu um destino ainda pior, pois Apolo o esfolou vivo por sua presunção – de acordo com Heródoto, a pele esfolada ainda podia ser vista em sua época próximo ao Rio Catarractes, na Frígia, onde se alega que a competição teria acontecido.

Apolo apaixonado

Dafne: Se Apolo não podia ser zombado nem de leve, Eros, outro deus arqueiro, também não. Por ter criticado as flechas débeis do casamenteiro, Apolo foi atingido no coração por uma flecha de Eros que tinha a ponta de ouro. Isso fez com que se apaixonasse desesperadamente pela ninfa Dafne (Loureiro). Mas Dafne havia sido atingida pela flecha de Eros com a ponta de chumbo, o que fez com que ela fugisse das investidas de Apolo até que, incapaz de continuar fugindo, se transformou numa árvore a qual agora tem seu nome (árvore de louro). Ainda assim, Apolo a possuiria ao usar a madeira para fazer sua lira e seu arco, enquanto as folhas da árvore seriam usadas como a guirlanda que coroava os vencedores em competições – embora, diferentemente de Apolo, muitos desses vencedores tenham conseguido, desde então, colher os louros da vitória.

Cassandra: Parece que Eros realmente perseguia Apolo, que continuava a ser azarado no amor. A troiana Cassandra o rejeitou, muito embora ele tivesse dado a ela o dom da profecia. (O rejeitado Apolo alterou o presente, de modo que Cassandra sempre diria a verdade, mas ninguém nunca a ouviria.)

Sinope: Essa moça, que emprestou seu nome à cidade na Turquia, concordou em se deitar com Apolo se ele lhe desse primeiro o que quer que ela quisesse. Acontece que ela queria permanecer virgem. Em algumas tradições, ela, mais tarde, cedeu, pois seu filho, Siro, é considerado o fundador da raça síria.

Marpessa: Essa moça escolheu um companheiro mortal em lugar de correr os riscos associados ao romance divino.

Corônis: Embora Apolo tenha se deitado com essa mortal, ela se casou com outro. Enfurecido, Apolo matou sua amada e descobriu que ela estava grávida de seu filho. Ele teve que se esforçar extraordinariamente para salvar a criança, que se tornou Asclépio, o deus da medicina (cf. p. 115).

Jacinto: A sorte de Apolo não era melhor com os do sexo masculino, pois ele amava um belo jovem chamado Jacinto. A flor com esse nome nasceu do sangue derramado quando Apolo, acidentalmente, matou seu amado com um disco.

Et al.: Outros amores de Apolo deixaram sua marca no mundo. Um deles, Cirene, fundou uma grande cidade na antiga Líbia, e um filho de outro romance, Mileto, foi fundador de uma famosa cidade grega. Lino, filho de Apolo e uma das Musas, emprestou seu nome a personagens tão diversos como o segundo Papa, um personagem de quadrinhos e o fundador de um sistema operacional de computador bem conhecido. Em anos recentes, Eros deu uma trégua, permitindo que Apolo, sob a forma da décima primeira nave espacial com esse nome, conquistasse Selene, a lua.

ARTE E CULTURA POSTERIORES:
APOLO (FEBO)

Apolo aparece em muitas pinturas, como em *Apolo e Diana* (c. 1526), de Lucas Cranach o Velho; na horripilante *A punição de Mársias* (1570-1576), de Ticiano; e em *Apolo e as Musas no Parnaso* (1630-1631), do erudito Nicolas Poussin. Sua perseguição a Dafne também tem interessado artistas, incluindo Giovanni Battista Tiepolo (*Apolo perseguindo Dafne*, 1755/1760), Robert Lefevre (*Dafne fugindo de Apolo*, 1810), Gustave Moreau (*Apolo e as nove Musas*, 1856) e J.W. Waterhouse (*Apolo e Dafne*, 1908).

Archiepiscopal Castle, Kremsier
A vívida representação por Ticiano do esfolamento de Mársias.

A disputa musical entre Apolo e Mársias inspirou uma animada obra musical de Johann Sebastian Bach intitulada *Der Streit zwischen Phoebus und Pan* [*A competição entre Febo e Pan*]. Aos 11 anos, Mozart fez uma de suas primeiras e grandes incursões musicais com uma obra intitulada *Apolo et Hyacinthus* [*Apolo e Jacinto*], 1767.

⁓ Ártemis (Diana), senhora das feras ⁓

Pais: Zeus (pai), Leto (mãe)
Cônjuge: nenhum
Amantes importantes: nenhum
Filhos: nenhum
Aspecto primário: deusa de tudo o que é selvagem
Aspectos menores: deusa da caça, também intimamente associada com Selene, a lua, e Hécate, a deusa feiticeira
Identificada com: a lua, além de cervos e ciprestes
Templos, oráculos e santuários: o templo de Ártemis em Éfeso; o templo de Diana em Baia, na Itália; e qualquer pradaria selvagem

Diana das feras, numa pose virginal com seu arco.

Feroz caçadora, que se deleita em combates nos bosques: veloz na caça, terrível senhora do arco, peregrina da noite, regozijando-se nos prados, altiva e orgulhosa como um homem, generosa na mente, divindade reverenciada, nutriz da humanidade; imortal embora terrena, perdição de monstros terríveis. Bem-aventurada virgem, que os montes de florestas coroados sejam tua morada.
"HINO ÓRFICO A ÁRTEMIS", 36.

No mundo greco-romano, a caça era um negócio sério. Muito do interior era incauto, e as feras selvagens eram uma ameaça tanto aos homens quanto aos seus cultivos. A caça era, ao mesmo tempo, um esporte, um controle de pestes e uma fonte de carne, e quase todos os que viviam no campo praticavam uma quantidade considerável de caça como parte de suas atividades cotidianas. Os riscos envolvidos não eram desconsideráveis. Além de ursos e javalis (que se sobressaíam substancialmente a qualquer caçador), a caça em si apresentava perigos, incluindo o risco de indivíduos empolgados arremessando objetos pontiagudos na direção errada. Não é de surpreender que caçadores precisassem de uma divindade que olhasse por eles, e o trabalho caiu para Ártemis, deusa virgem de todas as coisas selvagens.

Museu do Louvre, Paris
Ártemis e Apolo mostram a Níobe que os deuses não são levianamente zombados.

Ártemis era a irmã gêmea mais velha de Apolo. Quando criança, ela pediu a seu pai, Zeus, para permanecer virgem para sempre e vagar pelos montes com suas ajudantes, as Ninfas, e uma matilha de cães de caça. Semelhante a Apolo, ela tomou o arco como sua arma (o dela fora feito de prata pelos Ciclopes) e, com o irmão, vingava qualquer ofensa à sua mãe. Uma tal Níobe, aparentemente, não tinha ouvido falar da vendeta do par contra aqueles que tinham negado santuário a Leto (cf. anteriormente) e se gabou de ser sete vezes superior à deusa por ter tido sete filhos e sete filhas, enquanto Leto tinha apenas um de cada. Um rápido ataque de arco equilibrou a situação, e Níobe foi deixada sem filhos de qualquer gênero para se gabar.

ÁRTEMIS E ÁCTION

Áction morto por seu próprio cão, sobre um vaso do século V.

Talvez por ser vista como um pouco inferior a alguns dos outros deuses (certa vez, Hera lhe golpeou as orelhas com tanta força que suas flechas caíram da aljava), Ártemis era particularmente sensível se percebesse uma lesa-majestade. Áction, príncipe de Tebas, em certa ocasião, estava num bosque e viu Ártemis se banhando numa fonte. Quando a ultrajada Ártemis descobriu que estava sendo observada, imediatamente, transformou o enxerido príncipe num veado. Áction estava no bosque caçando com seus cães de caça, e, quando os cachorros bem treinados viram o que consideraram sua presa, imediatamente estraçalharam seu antigo mestre em pedaços.

O estrelato de seus seguidores: Plêiades, Calisto e Órion

Plêiades: As acompanhantes de Ártemis eram sete irmãs chamadas Plêiades. Essas moças eram menos bem-sucedidas em manter a virgindade do que sua líder e quase todas tiveram relacionamentos com outros deuses – algumas menos voluntariamente que outras. Maia, a plêiade mais velha, era mãe de Hermes, enquanto Electra, que significa "resplandecente", ainda está circulando pela terra, pois compartilha seu nome com o âmbar ("elétron", do grego *élektron*), que os antigos usavam para gerar faíscas de eletricidade.

Calisto: Bem como as promíscuas Plêiades, outra favorita de Ártemis, Calisto, também foi seduzida por Zeus. Posteriormente, Calisto foi transformada num urso, não se sabe, ao certo, por quem, embora nem Ártemis nem Hera tivessem ficado contentes. Por fim, para sua própria proteção, Zeus deu a Calisto e seu filho um abrigo nos céus, onde ainda podem ser vistos à noite, como Ursa Maior e Ursa Menor. Hoje, Calisto é, também, como outras seduzidas por Zeus – Io, Europa e Ganimedes –, uma lua de Júpiter.

Órion: Ártemis era tão protetora das coisas selvagens quanto uma entusiasmada caçadora. Outro de seus acompanhantes era Órion, que se gabou da intenção de matar cada coisa selvagem na terra. Isso colocou os dois aspectos de Ártemis num duro conflito, que foi resolvido quando Órion foi morto por um escorpião (a responsabilidade por essa morte tem sido colocada sobre vários suspeitos diferentes, incluindo a própria Ártemis). Órion tinha sido outro pretendente das Plêiades e, como elas e Calisto, acabou indo parar nos céus, onde as três estrelas de seu cinturão o tornam uma das constelações mais visíveis enquanto ainda persegue as sete estrelas das Plêiades pelo céu noturno.

Na Guerra de Troia (cf. cap. 8), Agamêmnon, rei dos aqueus, ofendeu Ártemis – que era (como o irmão) uma apoiadora dos troianos – de forma múltipla. Ela tentou evitar que as embarcações gregas navegassem ao lhes negar vento favorável, até que Agamêmnon sacrificasse sua filha Ifigênia. Quando Agamêmnon mostrou sua intenção de prosseguir com o sacrifício, Ártemis a substituiu por um cervo no último momento e tomou Ifigênia sob sua proteção e custódia.

Para os romanos, Ártemis era Diana, e seu templo em Éfeso era uma das Sete Maravilhas do Mundo. Por conta da ilha de seu nascimento, Ártemis era também conhecida como Ártemis de Delos, ou simplesmente como a forma feminina do nome da ilha – Délia. A transposição romana de Ártemis como Diana permanece como um nome feminino popular, embora Phoebe (a forma feminina do nome Febo de Apolo) seja, atualmente, menos popular do que já fora.

ARTE E CULTURA POSTERIORES:
ÁRTEMIS (DIANA) E ÁCTION

Galeria Nacional da Escócia, Edimburgo
Áction descobre Diana se banhando, como representado por Ticiano.

A história de Áction tem atraído um distinto grupo de artistas, incluindo Ticiano (*Diana e Áction*, 1556-1559), Giuseppe Cesari (*Diana e Áction*, 1603-1606) e François Boucher (*Diana saindo do banho*, 1742).

Ares (Marte), deus do combate

Pais: Zeus (pai), Hera (mãe)
Cônjuge: nenhum
Amantes importantes: Afrodite, Pirene, Reia Sílvia, Eos (a aurora)
Filhos: Deimos, Fobos, Cicno, o dragão dos esparciatas, Diomedes, Ixíon, Harmonia, Rômulo e Remo
Aspecto primário: deus do combate
Aspecto menor: nenhum
Identificado com: lanças, pica-paus, urubus, cachorros
Templos, oráculos e santuários: o templo de Marte no fórum de Augusto, em Roma; o templo de Ares em Atenas; qualquer campo de batalha

---

*É possível que eu seja um servo do senhor Ares,
mas ainda assim sou treinado na arte das Musas
e as sirvo também.*

ARQUÍLOCO, MERCENÁRIO E POETA,
SÉCULO VII A.C. (FRAG. 1)

Marte, com um querubim a seus pés; desenho de uma estátua da Vila Ludovisi, em Roma.

Ares e Atena são ambos deuses do combate, mas, enquanto Atena representa a fria estratégia, Ares representa a força cega e violenta. Isso explica por que, quando o par se enfrentou durante a Guerra de Troia, Atena derrotou Ares nas duas ocasiões. Ares estava apoiando os troianos, mas poderia, facilmente, ter apoiado os aqueus, pois, para ele, a batalha e a carnificina eram importantes em si mesmas, não interessando quem ganha ao fim. Não é de surpreender que, dada tal atitude, ele não fosse particularmente popular, seja dentre os deuses ou dentre os homens. Mesmo Zeus, que era pai de Ares concebido por Hera, sentia alguma ambivalência em relação a seu rebento, que estava mais em casa em meio aos bélicos e selvagens trácios do que entre o povo civilizado do sul da Grécia.

Museu Arqueológico Nacional, Nápoles
Cadmo mata o dragão aquático, com Atena ao fundo.

Os espartanos, propensos a guerra, naturalmente, eram mais afeiçoados a Ares do que a maioria e acreditavam serem descendentes de um dos filhos de Ares. Essa criança era um dragão aquático morto pelo herói Cadmo. Quando os dentes do dragão foram semeados na terra, de cada um nasceu um protoespartano totalmente armado. Cadmo fez as pazes com Ares ao se casar com sua filha Harmonia e ao fundar a cidade de Tebas, próxima ao lugar onde o dragão aquático foi morto (e onde, provavelmente não por coincidência, havia um lago em tempos pré-históricos).

Parece estranho que Harmonia seja uma filha de um deus cujos outros filhos incluem Medo e Pânico (cf. p. 55), mas algumas narrativas justificam essa personagem mais amena por meio do fato de que a mãe de Harmonia era Afrodite, fortemente atraída por Ares. Como será visto (cf. p. 97), Hefesto, o marido de Afrodite, tinha uma visão negativa do romance e se desviou de seu caminho para humilhar o par. Harmonia e Cadmo, por acaso, eram os pais daquela Sêmele que Zeus inadvertidamente incinerou (cf. p. 52). Eos, deusa da aurora, era outra amante de Ares, e Afrodite, por inveja, a sentenciou a sempre estar apaixonada, embora seus amantes pudessem variar.

Outra estranha união de Ares era com a justiça. Essa ligação vem de outra de suas filhas, aquela que Ares salvou de um filho de Poseidon ao matar o possível estuprador. No primeiro julgamento por assassinato a existir, Ares defendeu suas ações com sucesso diante dos outros deuses num monte que seria, mais tarde, parte da cidade de Atenas e que foi nomeado Areópago depois dessa ocasião. A partir de então, Areópago foi o local onde ocorriam todos os julgamentos por assassinato em Atenas e onde, mais tarde, São Paulo fez um famoso discurso denunciando os deuses "pagãos" como o próprio Ares.

HÉRACLES FERE ARES

Ares tinha um filho perverso chamado Cicno, cujo passatempo era a construção de um templo dedicado a seu pai a partir de crânios e outros ossos de viajantes que havia matado. Ele falhou miseravelmente quando aconteceu de um dos viajantes ser Héracles. Ares, que havia herdado de sua mãe o ódio por Héracles, apressou-se para ajudar o filho. Atena, imediatamente, apareceu em defesa de Héracles e impediu Ares de atingi-lo enquanto estava em combate com Cicno. Avisado da ameaça, Héracles, de imediato, feriu Ares na coxa. O deus da guerra recuou para o Olimpo para cuidar de seu ferimento (e de seu orgulho), enquanto Héracles executou o sanguinário filho sem mais delongas.

Embora os gregos fossem particularmente ambivalentes sobre seu deus da guerra, Ares se sentiu muito mais em casa em Roma, onde foi fundido com uma variedade de outros deuses da guerra para se tornar Marte. Como Marte, alega-se que ele engravidou a Virgem Vestal e herdeira real Reia Sílvia para dar origem aos fundadores de Roma: Rômulo e Remo. O Imperador Augusto, embora normalmente um admirador das artes civilizatórias de Apolo, fundou um templo a Marte em seu recém-construído fórum em Roma. Ele o denominou Templo de Marte Vingador, pois acreditava que Marte lhe havia permitido superar em combate os assassinos de seu filho adotivo, Júlio César.

Como Marte, Ares permanece na consciência moderna como o "planeta vermelho" e também como o mês no qual, habitualmente, começava a temporada de campanha militar – março. A palavra "marcial" ainda se refere aos assuntos militares, e o verbo *to mar*, em inglês, se refere aos efeitos da guerra na paisagem. E, claro, o escudo hoplita grego com uma lança por trás permanece sendo o símbolo de Marte e do gênero masculino, exatamente como o espelho de Afrodite serve para o feminino.

⊰ HEFESTO (VULCANO), O HABILIDOSO ARTÍFICE ⊱

Pais: Hera (mãe)

Cônjuge: Afrodite

Amantes importantes: Átide, Aglaia, Atena (quase!)

Filhos: Pandora (criação), Erictônio, Perifetes

Aspecto primário: deus dos artesãos

Aspectos menores: em particular, deus dos ferreiros, deus do fogo e dos vulcões

Identificado com: martelos, bigornas e tenazes, machados

Templos, oráculos e santuários: o templo de Hefesto em Atenas, a Ilha de Lemnos (onde o moderno aeroporto internacional é chamado "Hefesto"), o templo de Vulcano em Agrigento, na Sicília

Ó, Musas, cantai em vossa clara voz Hefesto glorioso
em suas invenções. Com Atena, a de olhos glaucos, ele revelou
ao homem pelo mundo como usar seus maravilhosos dons.
Pois até que aprendessem as artes de Hefesto,
os homens viviam como bestas selvagens em cavernas de
montanhas.
"HINO HOMÉRICO A HEFESTO", 2.1-7.

Hefesto era, acima de tudo, um ferreiro, e ele tinha, no Olimpo, o mesmo papel que se acreditava que os ferreiros tiveram na Grécia arcaica. Diferentemente dos demais, Hefesto era, por vezes, zombado, mas também secretamente temido por suas habilidades arcanas. Como muitos ferreiros nos tempos iniciais da Grécia, Hefesto era coxo. Ele era assim porque os ferreiros, às vezes, acrescentavam arsênico ao fundir cobre para reduzir as impurezas de sulfeto. Os próprios gregos acreditavam que a claudicação de Hefesto advinha de ele ser uma tentativa imperfeita de Hera de gerar um filho sozinha, sem envolver seu esposo mulherengo. Hera ficou tão desgostosa com o resultado que arremessou o infante dos céus. Ele caiu no mar e foi

Hefesto com Tétis e as armas de Aquiles.

cuidado por Tétis, a nereida que, mais tarde, foi mãe de Aquiles.

Hefesto cresceu na Ilha de Lemnos, que se tornou um centro de culto do deus. Lá, ele se tornou um ferreiro habilidoso. Fez, por exemplo, as sandálias aladas de Hermes e calçados para outros deuses, incluindo sandálias adamantinas para sua mãe, Hera (que a fizeram cair de cara no chão quando tentou caminhar com elas). Hera ou não entendeu a pista ou não percebeu a proveniência de um trono dourado que seu desprezado filho lhe enviou em seguida. Assim que ela se sentou no trono, dispositivos de ouro foram acionados e a prenderam no trono. Hefesto não soltaria sua mãe até que fosse readmitido no Olimpo e, ademais, recebesse a bela Afrodite como esposa. Dioniso evitou mais concessões ao embebedar Hefesto e lograr dele a chave.

HEFESTO, O MARIDO REJEITADO

A esposa de Hefesto, Afrodite, não era uma esposa feliz e logo começou um romance com o impetuoso Ares. Foi uma relação perigosa, pois a maioria dos deuses devia a Hefesto por alguma dádiva ou instrumento útil – mesmo o famoso cinturão de Afrodite era obra sua. Hélio, o deus sol, era grato a Hefesto por seu carro e, durante seu circuito diário nos céus, viu os amantes se abraçando e passou a informação a Hefesto. (Ares havia antecipado essa possibilidade ao colocar um jovem para avisar sobre a chegada de Hélio. Por ter falhado em sua missão, o jovem foi transformado no galo, que, desde então, anuncia o sol da manhã.) Hefesto reagiu confeccionando uma bela mas resistente rede sobre a cama, e, na próxima vez que Ares e Afrodite satisfizeram sua paixão adúltera, a rede caiu sobre eles, prendendo-os tão firmemente que não podiam mover um único músculo. Hefesto, então, convidou os outros deuses a presenciarem o espetáculo, embora apenas os machos tenham obtido vantagem ao observar Afrodite personificando o amor carnal de maneira bastante explícita.

Apesar de sua utilidade nos céus – foi Hefesto que também criou Pandora (cf. p. 29) e as correntes que prenderam Prometeu à rocha (cf. p. 27), e foi Hefesto que desferiu o golpe com o machado que levou ao nascimento de Atena (cf. anteriormente) –, o deus ferreiro foi mais uma vez exilado.

Dessa vez, seu exílio foi por tomar partido de sua mãe numa das frequentes querelas com o marido. Ofendido pela perseguição constante de Hera a Héracles, Zeus havia preparado uma punição dolorosa para sua esposa, e Hefesto ou protestou com firmeza ou (segundo alguns relatos) tomou medidas práticas para ajudar. Literalmente lançado dos céus, Hefesto caiu por um dia inteiro. Na terra, ele dispôs sua forja sob o vulcão constantemente atroador no Monte Etna, na Sicília. Lá, ele confeccionou maravilhas como as trípodes que andam e os homens mecânicos de bronze. Os romanos diziam que o Etna se encolerizava toda vez que Vênus (Afrodite) era infiel a seu marido exilado, embora deva ser apontado que também se acredita que Hefesto tinha seu próprio namorico com Aglaia, uma das três Cárites (as Graças romanas).

Para os romanos, Hefesto era conhecido como Vulcano, e a semelhança de Vulcano com vulcão sugere que Hefesto assumiu alguns dos atributos de um deus romano mais antigo do fogo. Aceitavam-se peixes como sacrifício ao deus Vulcano, especialmente em seu festival da Vulcânia em agosto, durante o qual fogueiras eram acesas. Como ele é um deus racional e voltado para soluções práticas, não é de surpreender que os alienígenas "Vulcanos", na duradoura série de ficção científica *Star Trek*, tivessem os mesmos atributos. Objetos como pneus de automóveis são feitos de borracha endurecida por meio do fogo, num processo conhecido como vulcanização.

ARTE E CULTURA POSTERIORES:

HEFESTO

A forja de Vulcano (1630), de Velázquez, é, de longe, a pintura mais famosa com o deus e inspirou *Vênus na forja de Vulcano* (1641), dos Irmãos Le Nain. *Marte e Vênus surpreendidos por Vulcano* (1555), de Jacopo Tintoretto, é também digna de ser vista, nem que seja apenas para ver Marte se escondendo embaixo de uma cadeira.

Hermes (Mercúrio),
O DEUS NO PORTÃO

Pais: Zeus (pai), Maia (mãe)
Cônjuge: nenhum
Amantes importantes: Dríope, Afrodite
Filhos: Pan, Hermafrodito, Autólico, Príapo, Evandro
Aspecto primário: mensageiro dos deuses
Aspectos menores: aquele que traz os sonhos, deus dos atletas, dos viajantes, dos mentirosos, das prostitutas, de todos os que cruzam ou ultrapassam limites, deus do discernimento (de onde vem "hermenêutica") e da eloquência
Identificado com: caduceu, elmo alado, sandálias aladas, galo, tartaruga
Templos, oráculos e santuários: o templo de Mercúrio em Pompeia, o templo de Hermes e Afrodite em Samos

Gema retratando Mercúrio (cuja pedra preciosa tradicional é a esmeralda).

---

*Ó, poderoso Hermes... Não sejas impiedoso
para com nossas preces... o mais humano, o mais generoso
dos deuses, seja-nos favorável.*
SÚPLICA A HERMES NA PAZ
DE ARISTÓFANES, 385SS.

O mais libertino dos deuses, Hermes estende sua proteção às prostitutas, aos ladrões, aos golpistas e a todos os que forçam as barreiras do comportamento aceitável. Pois esse é o verdadeiro papel de Mercúrio (como os romanos o chamavam). Ele se coloca na fronteira e ajuda a todos os que a cruzam. Assim, viajantes que iniciam uma jornada oram ao deus para guiá-los e aqueles que embarcam na última e mais longa jornada de todos encontram Hermes esperando para conduzi-los a salvo para o mundo subterrâneo. Com Perséfone e a rainha feiticeira Hécate (cf. p. 118), Hermes é um dos poucos deuses que viajam sem impedimento ao tenebroso reino de Hades, e, por essa razão, foi ele quem primeiro escoltou a raptada Perséfone de volta à sua mãe Deméter, que a esperava.

Gladiadores derrotados eram arrastados da arena através do "portão dos mortos" por um assistente trajado de Hermes em sua encarnação romana de Mercúrio.

HERMES E A LIRA

Hermes foi uma criança precoce. No dia em que nasceu, roubou o gado sagrado de seu meio-irmão Apolo. Depois de sacrificar dois dos bois, ele usou seus tendões como cordas cruzando a casca de uma tartaruga que encontrou no caminho. Dizendo à tartaruga "Embora você vá morrer, produzirá bela música", ele confeccionou a primeira lira. Com ela, reverteu a ira de Apolo, assim que o deus conseguiu rastreá-lo. (É difícil esconder as coisas do deus da profecia e da adivinhação.) Hermes afirmou, de forma dissimulada, que precisava do gado roubado para dar leite a seu corpo de infante. Isso não era de fato verdade, mas o criador da lira era um bom mentiroso. Apolo, que é também o deus da música, ficou fascinado com a lira e encantado pela agradável eloquência do infante. Ele foi facilmente persuadido a esquecer o roubo de seu gado em troca do instrumento.

De Apolo, Hermes recebeu seu cetro de ouro, o caduceu. Com esse cetro, Apolo deu também um aspecto extra a Hermes, pois o caduceu é um cetro alado e possui duas serpentes em combate. Esse se tornou o papel de Hermes – ser embaixador entre lados conflitantes, o protetor das embaixadas e dos diplomatas, que se encaixa bem em seu aspecto de deus das fronteiras.

Com sandálias e elmo, ambos alados e providenciados por Hefesto, Hermes não apenas era capaz de viajar livremente entre o céu, a terra e o mundo subterrâneo, mas também de fazê-lo com extraordinária rapidez. Não é de surpreender que ele tenha se tornado o mensageiro dos deuses, um papel que ele ainda tem atualmente como símbolo de vários jornais e companhias de comunicação, e também como o emblema do regimento Royal Signals Corps, do Exército Britânico. Seu caduceu, possivelmente por causa de uma confusão com a cobra e o cetro de Asclépio (cf. p. 116), tornou-se o símbolo de vários ramos da profissão médica. As mensagens divinas – chamadas *"angelia"* – tiveram, desde então, uma vida própria como "anjos". Hermes compartilhava o papel de mensageiro dos deuses com Íris, a deusa do arco-íris, a quem os gregos viam com frequência abobadando do mar ao céu e de volta para a terra.

Quase por definição, Hermes era o mestre do bate-papo e, de acordo com alguns relatos, conseguiu ter um filho com Afrodite, aparentemente sem que Hefesto houvesse notado. Essa criança era o deus da fertilidade Príapo (cf. p. 56), cuja característica proeminente era seu enorme falo ereto. O mau uso de certos remédios para a disfunção erétil tem levado, nos tempos modernos, a um considerável aumento do que já foi uma rara condição, o priapismo, em virtude do qual alguns homens desafortunados têm descoberto que tudo o que é demais enjoa, assim como tudo o que dura demais.

Outro dos filhos de Hermes, Hermafrodito, foi amado tão profundamente pela ninfa Salmácis que os deuses concordaram em deixá-los se juntar num único corpo, o hermafrodita, que tinha (e tem) características sexuais tanto masculinas como femininas. Outro filho de Hermes era o deus dos bosques Pan (cf. p. 109).

Do mesmo modo que os filhos de Hefesto costumavam ser alijados, os filhos de Hermes herdavam os hábitos de mão-leve, de esperteza e de agradável charme do pai. Assim, não surpreende que o filho de Hermes chamado Autólico, o príncipe dos ladrões, era o avô de Odisseu, o mais astuto e persuasivo dos gregos.

Enquanto Mercúrio, Hermes se tornou, na Modernidade, o planeta – um reconhecimento não da proximidade de Mercúrio com Hélio, o sol, mas da velocidade com que o planeta gira em torno do sol. Hoje, alguns dos aspectos mais reconhecíveis de Hermes estão no campo da moda, no qual echarpes e bolsas que carregam a marca com seu nome são estimadas por apreciadores fanáticos. Alguém com humor instável é "mercurial", e o metal tóxico que flui suavemente e que carrega seu nome é um lembrete de que brincar com Mercúrio pode levar alguém ao mundo dos mortos.

ARTE E CULTURA POSTERIORES:
HERMES (MERCÚRIO)

Annibale Carracci pintou *Mercúrio e Páris* em 1587-1600, e François Boucher, *Mercúrio confiando o infante Baco às Ninfas* (1732-1734). *Mercúrio e Argos* (1659), de Velázquez, foi salvo de um incêndio em 1734 por um trabalhador de pensamento ágil que o retirou da moldura enquanto escapava das chamas no palácio de Alcázar, onde estava disposto.

Museu do Prado, Madri
Versão de Velázquez de Mercúrio e Argos.

⁂ Dioniso (Baco), o deus festeiro ⁂
nascido três vezes

Pais: Zeus (pai), Sêmele (mãe)
Cônjuge: nenhum
Amantes importantes: Ariadne, Palene
Filhos: Eurimedonte
Aspecto primário: deus do vinho
Aspectos menores: aquele que dá o charme, deus do companheirismo e da despreocupação
Identificado com: o tirso, além de uvas e panteras
Templos, oráculos e santuários: o templo de Dioniso ao lado do teatro epônimo, em Atenas; o templo de Baco em Baalbeque (atual Líbano); o templo de Dioniso em Pérgamo

Museu Nacional Suíço, Kassek
Dioniso como um símbolo do renascimento num sarcófago romano do século III d.C.

Eu sou Dioniso, filho de Zeus, nascido para ele de Sêmele, filha de Cadmo, parido com o auxílio de uma parteira de fogo, a incandescência de Zeus.

DIONISO INTRODUZ A SI PRÓPRIO NO
PRÓLOGO ÀS *BACANTES*, DE EURÍPIDES

Festividades, como qualquer um que tenha frequentado uma celebração em família sabe, podem ter, com frequência, um curso desastroso, e muito vinho pode transformar uma festa animada num frenesi. Os gregos e os romanos sabiam bem disso, e Dioniso (Baco para os romanos) era uma figura muito mais perigosa, complexa e ambivalente do que o alegre beberrão coroado com vinhas imaginado pela era moderna.

Múltiplos nascimentos

Dioniso teve um nascimento estranho e uma criação igualmente estranha.

⊰ Nascimento 1 ⊱

Já vimos como sua mãe, Sêmele, foi incinerada quando exposta à verdadeira natureza de Zeus (cf. p. 52). Para salvar seu rebento ainda não nascido, Zeus teve que puxar apressadamente a criança dos restos do útero de sua mãe e colocá-lo dentro de um corte feito na própria coxa do deus.

⊰ Nascimento 2 ⊱

Aparentemente, a coxa de um deus era uma boa barriga de aluguel, pois a gravidez foi levada a termo. Mas proteger a criança do ciúme vingativo de Hera não era uma tarefa fácil. De acordo com uma versão, o jovem Dioniso foi disfarçado na forma de um cabrito.

⊰ Nascimento 3 ⊱

Hera percebeu o disfarce e arranjou para que alguns dos titãs destroçassem a criança e a devorassem crua. Atena resgatou o coração; essa parte de Dioniso foi reimplantada no útero, e o deus cresceu novamente. Dioniso foi, então, criado disfarçado de garota, e suas imagens, frequentemente, tinham uma aparência andrógina.

Museu de Belas Artes, Boston
Nascimento de Dioniso.

Hera conseguiu atingir Dioniso novamente, dessa vez com a loucura, à qual o deus é amiúde associado. Num estado de semidemência, Dioniso vagou pela Ásia Menor até o Rio Ganges, acompanhado de vários sátiros e mênades. As mênades eram, literalmente, "as frenéticas" – mulheres que trajavam peles de veado, manuseavam cobras vivas e tinham a reputação de estraçalhar animais durante seu estado extático e consumir a carne crua. Alguns antigos acreditavam que, por meio desse ato, as mênades faziam o que os titãs haviam feito com o menino e consumiam ritualmente seu deus – como também o fazia qualquer um que compartilhasse de Dioniso por meio do vinho.

REI MIDAS

Midas era um rei da Ásia Menor, filho do homem que deu ao mundo o lendário nó górdio. Um dia, Midas encontrou Sileno, o sátiro que era amigo e professor de Dioniso, desmaiado no jardim de rosas do palácio, depois de uma prolongada seção de comunhão com seu deus. Midas tratou o estrangeiro com hospitalidade e o entreteve por dez dias e noites, até que o próprio Dioniso viesse à procura de seu seguidor perdido. Em recompensa pelo gentil tratamento a Sileno, Dioniso ofereceu a Midas um desejo, e a famosa resposta de Midas foi o pedido para que o que quer que ele tocasse se tornasse ouro. Infelizmente, Midas prestou pouca atenção às subcláusulas em letras miúdas de seu desejo (um erro comum dentre aqueles que pedem favores divinos), e, consequentemente, tudo o que ele tocava virava ouro. Isso incluía o que quer que Midas tentasse comer ou beber, e mesmo, numa versão do mito, sua filha, quando se voltou a ela por consolo. Dioniso foi finalmente persuadido a permitir que Midas extinguisse sua funesta dádiva ao se lavar no Rio Pactolo, que se tornou famoso, depois disso, por suas areias douradas.

Curado de sua loucura por Reia, Dioniso retornou à Grécia, onde teve dificuldade em convencer as pessoas de sua divindade – uma tradição que mesmo os antigos achavam que podia refletir a relutância em aceitar um culto asiático por parte dos povos do período pré-clássico da Grécia. Certamente, havia muito em torno de Dioniso, que era estranho ao culto de outros deuses. Seu lado efeminado (embora o mais representado de todos os deuses, Dioniso nunca é mostrado com uma ereção e é, com frequência, mostrado em vestes femininas), bem como o frenesi que ele inspirava em suas seguidoras predominantemente femininas, causava um considerável desconforto nas culturas patriarcais e abertamente machistas da Grécia e de Roma.

Mênades durante um frenesi estraçalham um infeliz (à esquerda) na presença de Dioniso.

Os romanos consideravam os rituais a Dioniso tão perturbadores que, mais tarde, chegaram a causar um pânico moral na República, e centenas de suspeitos de serem "orgiastas" báquicos foram presos e um bom número foi executado. Mesmo em períodos posteriores, quando festivais de Dioniso se tornaram elementos comuns da vida em muitas cidades antigas, havia uma relutância considerável em incluir o deus no panteão olímpico tradicional, e muitas listas "canônicas" que sobreviveram não o incluem.

Dioniso/Baco era inseparavelmente ligado ao vinho, em especial à intoxicação que ele causa. O primeiro homem a quem Dioniso ensinou a fazer vinho foi morto por seus vizinhos, que pensaram terem sido envenenados por ele (como, de certo modo, foram – o "tóxico", em "intoxicação", é porque o álcool é um veneno leve). Mas não importa como gregos e romanos, mais tarde, se sentiam em relação a Dioniso, eles não abririam mão do deus se isso também significasse parar de beber. Assim, Dioniso passou a representar a festividade, o abandono de normas culturais e a legitimação da transgressão. Mas ele também representava o frenesi irrestrito, a paixão descontrolada, e, embora aqueles num estado de frenesi báquico nunca sejam referidos como loucos, Dioniso, de fato, inflige loucura naqueles que o ofendem.

O símbolo de Dioniso era o tirso, um cetro coroado com vinhas e com uma pinha no topo. Caso o simbolismo fálico não fosse percebido por alguém (embora as celebrações dionisíacas amiúde apresentassem adoráveis falos esculpidos com precisão anatômica), o tirso era, com frequência, mostrado em conjunto com sua contraparte feminina, a taça de vinho. Dioniso era geralmente retratado montado em um leopardo ou em uma carruagem conduzida por panteras.

Andrógino ou não, Dioniso teve muitas amantes, incluindo Ariadne, a quem ele tomou, de acordo com algumas narrativas, depois que ela fora abandonada por Teseu (cf. p. 171). O filho deles, o argonauta Eurimedonte, concedeu seu nome ao sítio de uma das maiores batalhas da Guerra do Peloponeso.

ARTE E CULTURA POSTERIORES:
DIONISO (BACO)

Baco, o beberrão, tem se provado mais atraente a pintores do que o mais complexo Dioniso e é bem exemplificado no infante borracho de Giovanni Bellini, *Baco infante* (1505-1510). Esse tema fica ainda mais explícito em *Baco bebendo* (1623), de Guido Reni. Ticiano fornece um tratamento mais maduro (em todos os sentidos) em *Baco e Ariadne* (1520-1523).

National Gallery, Londres
Ticiano mostra Baco saltando de sua carruagem tomado pelo amor à primeira vista.

Baco em pedra é popular em jardins antigos e modernos, com o *Baco* no Museu do Hermitage, em São Petersburgo, sendo um bom exemplo do gênero. Em 1909, Jules Massenet chegou a dar a Baco sua própria ópera.

5

Deuses menores, criaturas mágicas e heróis ancestrais

Havia dúzias de deuses no mundo grego e milhares no romano, mas a maioria deles, incluindo algumas divindades romanas maiores como Jânus, Mitra e Ísis, não figura muito no mundo do mito. Daqueles que de fato aparecem dentre os mais comuns estão os seguintes.

Pan (Silvano)

Museu de Belas Artes, Boston
Pan perseguindo um pastor de cabras, do Pintor de Pan.

Amado filho de Hermes, de pés de bode, amante da música,
que vaga com as Ninfas pelos prados de bosques.
"HINO HOMÉRICO A PAN", 22SS.

A mãe de Pan era Dríope, uma ninfa que pode ter sido uma das Plêiades (cf. p. 90). Dríope teve relações amorosas com vários deuses, inclusive Hermes. Seu filho com Hermes era um bebezinho peludo com chifres e pés de bode. Ela ficou tão aterrorizada que, à primeira vista desse estranho infante, correu gritando, e Pan tem sido capaz de induzir desde sempre esse terror repentino e irracional que é hoje chamado "pânico".

Pan foi adotado pelas Ninfas dos bosques e, desde então, fez deles seu lar, com uma preferência por montes cobertos de árvores na Arcádia, no sul da Grécia. Ele se tornou o deus dos pastores de ovelhas e cabras, que eram tão fiéis a seu deus que Pan ainda pode ser reconhecido, completo com pernas de bode e chifres, no arqui-inimigo cristão, o diabo. Como um deus da fertilidade, Pan era incansável em sua corte às Ninfas, uma das quais, Siringe, foi transformada num canavial para despistá-lo. Pan usou tais caniços para fazer suas flautas com as quais seu nome ainda é associado, tendo-as usado para desafiar Apolo (e perder) numa competição musical.

Os atenienses, mais tarde, creditaram a Pan uma intervenção direta na batalha de Maratona, e o corredor Fidipides (que correu até Atenas com notícias da vitória, de modo que a corrida de longa distância ainda é associada a seu feito) recontou uma conversa que afirmou ter tido com Pan enquanto levara, anteriormente, uma mensagem aos espartanos.

⊰ As Fúrias (Erínias, Diras) ⊱

As Fúrias aladas que infligem seus tormentos
ainda mais nos soberbos e arrogantes.
QUINTO DE ESMIRNA, *A QUEDA DE TROIA*, 5.520.

Vingança, no mundo da mitologia grega, vinha numa abundância de formas. As Erínias – "as furiosas", para dar seu nome grego – eram as Diras para os romanos e compartilham sua terrível origem com a palavra "*dire*" ("horrendo") do inglês moderno. Embora Nix e Hades, por vezes, sejam considerados seus possíveis pais, Hesíodo insiste que as Fúrias eram, por assim dizer, irmãs de Afrodite, pois elas também nasceram do sangue de Urano, quando este foi castrado por Crono.

Talvez como resultado desse feito, as Fúrias tomaram como seu propósito na vida a vingança de crimes de filhos contra pais, mas logo incorporaram assassinato e quebras de hospitalidade a seu portfólio, bem como blasfêmia, sacrilégio e outras ofensas aos deuses. A retaliação podia tomar a forma de loucura ou doença. Por vezes, uma comunidade inteira podia sofrer por não ter tomado uma atitude contra um ofensor, caso no qual a doença se manifestaria por uma praga ou pela ausência de colheita, e a loucura, por um desejo mal-intencionado (por exemplo) de invadir um vizinho grande e bem-armado. Sim, a moderna "fúria" como ira insana vem do nome dessas moças.

Orestes confronta as Fúrias (painel de um sarcófago antigo).

Enquanto pais maltratados podiam invocar explicitamente as Fúrias contra um filho, parece que elas, por padrão, perseguiam ofensas contra os deuses. Havia três Fúrias – Alecto, Tisífone e Megera. Conquanto a tragédia de Ésquilo as descreva como odiosos monstros ofídicos, as Fúrias são, geralmente, representadas como sérias jovens em trajes negros de luto, embora, quando estivessem trabalhando num caso, trocassem para vestidos curtos com botas de caça à altura dos joelhos e se armassem com chicotes.

◈ Nêmesis ◈

Tu, filha de Nix [Noite], e as Fúrias
que vingam o morto cego e aqueles que praticam
o mal de dia, agora ouvi-me!
ÉSQUILO, *EUMÊNIDES*, 321SS.

A deusa de quem ninguém escapa, a incansável filha de Nix (Noite), tinha um campo de atuação um pouco maior do que as Fúrias. Ela era vista como um princípio de equilíbrio, uma contraparte da mais caprichosa das deusas, *Tykhe*, ou boa fortuna. Quando *Tykhe* concedia seus favores aos que não mereciam, Nêmesis vinha em seguida, incansável, e infligia, de modo inevitável, um infortúnio correspondente. Ela observava particularmente aqueles acometidos de húbris, ou um orgulho presunçoso. Nas palavras do provérbio moderno: quanto maior o orgulho, maior a queda. Os antigos esperavam que a queda decorresse de um empurrão de Nêmesis – provavelmente, para dentro do precipício mais próximo.

Por exemplo, havia um belo jovem que era amado por Eco, a ninfa que foi condenada a repetir tudo o que ouvia (cf. p. 65). O jovem não tinha qualquer interesse na moça e a rejeitou com tanta veemência que ela definhou até se tornar apenas uma voz. Entra Nêmesis, que amaldiçoou o jovem para que ele se apaixonasse perdidamente por seu próprio reflexo quando o visse numa lagoa. Incapaz de sair dali, Narciso definhou à margem da lagoa. Ele deixou como legado sua personalidade narcisista – estudada, mais tarde, pelos psicólogos – e a flor que leva seu nome. Diz-se que o espírito de Narciso permanece às margens do Rio Estige, inspecionando, apaixonadamente, seu reflexo nas águas. Os romanos chamavam Nêmesis de Fortuna, e, mesmo hoje, muitos italianos ainda a tratam com profundo respeito.

ARTE E CULTURA POSTERIORES:
NÊMESIS

Nêmesis (c. 1500), de Albrecht Dürer, mostra a deusa, aparentemente, meditando sobre o destino de uma cidade, em geral, identificada com Chiusa, no Tirol. Salvador Dalí faz uma alusão à história de Narciso em *Metamorfose de Narciso* (1937).

A FORTUNA DO REI CRESO

Creso, rei fantasticamente rico da Lídia, na Ásia Menor, tinha consciência de que sua vida, até então, havia sido afortunada de modo nada auspicioso. Ele tentou evitar Nêmesis ao "perder" seu anel favorito no mar. Infelizmente, quando, uma semana depois, sentou-se para comer um peixe num jantar, descobriu que Tykhe tinha colocado o anel no estômago do peixe que ele estava prestes a comer. Enquanto isso, Nêmesis havia preparado um grande exército invasor persa para ensinar ao favorito da fortuna o verdadeiro sentido de calamidade. Quando derrotaram Creso, os persas, por sua vez, estavam tão confiantes de que conquistariam os gregos em Maratona que sua força invasora trouxe consigo um grande bloco de pedra, o qual planejavam esculpir na forma de uma estátua comemorativa da vitória. A pedra foi capturada quando os gregos derrotaram o exército persa. A única coisa adequada a se fazer com ela era transformá-la numa estátua de Nêmesis, que os atenienses colocaram no templo da deusa em Ramnunte, na Ática.

Nêmesis também estava envolvida na (inevitável) queda da grande e bem-sucedida cidade de Troia. Numa versão da história, Nêmesis foi cortejada por Zeus, mas se transmutou numa variedade de formas para se desviar da atenção do deus. Quando Nêmesis se transformou numa gansa, seu pretendente se transformou num cisne e, sob esse disfarce, ganhou seu coração. O filho deles foi concebido como um ovo, que originou Helena, a mais bela das mulheres mortais. Nessa versão da história, Helena, filha de Nêmesis, foi adotada por uma mulher chamada Leda. Entretanto, na versão mais comum, Zeus repetiu seu truque de sedução por meio do cisne com Leda e, assim, concebeu Helena.

ARTE E CULTURA POSTERIORES: LEDA

Leda foi irresistível a muitos artistas, como Giampietrino (*Leda e seus filhos*, c. 1520) e Leonardo da Vinci, cuja *Leda* (1508-1515) é conhecida apenas por meio de cópias.

Earl of Pembroke's Collection, Wilton House, Salisbury
A Leda de Leonardo, com o cisne e com os bebês saindo dos ovos.

⋄ O CASTOR E MUITA DOÇURA ⋄

Helena de Troia tinha dois irmãos. Embora gêmeos, o par tinha pais diferentes, um era humano e o outro, Zeus. Isso significava que um irmão, Castor (literalmente, "castor"), era mortal, mas o outro, Polideuces ("múltipla doçura"), não. Conhecidos juntos como os Dióscuros, os irmãos estavam envolvidos na maioria das travessuras altamente heroicas de seu tempo.

Eles navegaram com os argonautas de Jasão (cf. p. 136), fizeram parte da caçada ao javali da Caledônia (cf. p. 144) e se juntaram ao ataque contra Atenas quando sua irmã foi sequestrada por Teseu (cf. p. 173). Uma contenda com outro par de irmãos por causa de noivas os levou à ruína e, ao fim, à morte de Castor. Mas, num momento exemplar de amor fraterno, Polideuces ofereceu metade de sua imortalidade ao irmão, de modo que o par alternava, diariamente, entre Olimpo e Hades.

Enquanto Castor e Pólux, os gêmeos, eram reverenciados como deuses da guerra dos romanos, que dedicaram um dos maiores templos do Fórum romano em sua honra.

Aqueles nascidos entre 21 de maio e 21 de junho têm uma ligação especial com os Dióscuros, os gêmeos que compõem o signo astrológico de gêmeos.

⚜ As Cárites (Graças) ⚜

Como vimos (cf. p. 61), havia três Cárites: Aglaia (Brilho), Eufrosine (Festividade) e Talia (Alegria). Elas eram servas e acompanhantes de Afrodite, que se juntava a elas em suas danças. As Cárites (conhecidas pelos romanos como Graças) teceram o vestido de Afrodite e a confortaram e animaram na Ilha de Pafos, para onde ela fugiu depois de ser humilhada por Hefesto (cf. p. 97). A ascendência e os nomes das Cárites variavam de acordo com fontes diferentes, e, às vezes, seu número é maior ou menor que três, mas elas sempre simbolizam a gentileza, o bom humor e a diversão. As Cárites eram naturalmente festeiras, e os antigos, com frequência, invocavam sua presença no início de banquetes e jantares.

⚜ Asclépio ⚜

Ó, Asclépio, filho crescido de Apolo, aceite de bom grado este cabelo, bem-elogiado, que o melhor menino de César te dá.
ESTÁCIO, *SILVAE*, 3.4.

Asclépio – gravura numa pedra preciosa.

Na versão mais corrente do mito, Asclépio era filho de Apolo e de uma mulher mortal chamada Corônis (cf. p. 85). Ela cometeu o grande erro de dar um fora em Apolo, perdido de amor, e acrescentou uma ofensa ao dano, preferindo um mortal ao deus. Apolo castigou devidamente sua infiel amada e descobriu, tarde demais, que ela estava grávida de seu filho.

Arrebatado da pira funerária de sua mãe, Asclépio foi criado pelo gentil centauro Quíron (cf. adiante). Apolo era um deus da cura, e Asclépio seguiu seu pai naquela profissão. Ele foi auxiliado por Atena, que lhe deu dons com os quais era capaz de praticar curas milagrosas – de fato, até mesmo ressuscitar os mortos. Isso causou distúrbios nos céus, pois Hades odiava quando as pessoas deixavam seu reino sem permissão. Por consequência, o senhor do mundo subterrâneo apresentou reclamações a seu irmão Zeus, que concordou que Asclépio estava usurpando os poderes de seus superiores e o fulminou com um raio, lançando-o ao Tártaro. Ofendido, mas incapaz de atacar diretamente seu pai, Apolo satisfez sua vingança contra os Ciclopes, que haviam confeccionado o raio. Isso enfureceu Zeus ainda mais, e apenas a súplica da mãe de Apolo, Leto, mitigou sua punição.

Acreditava-se que Asclépio havia conseguido escapar do Tártaro disfarçado de cobra e, sob esse disfarce, havia ensinado a cura aos homens. É por isso que a serpente e o cetro se tornaram o símbolo da profissão médica. Meditrina, uma das filhas de Asclépio, pode ter dado o nome à profissão, enquanto seguir os preceitos de outra filha, Higieia, permanece sendo a maneira mais efetiva de evitar os profissionais de Meditrina. Resta-nos apenas rezar para que uma terceira filha, Panaceia, que cura tudo, possa também fazer sua reaparição logo.

Era tradição que os escravos romanos considerados demasiado doentes para serem tratados fossem deixados no templo de Asclépio em sua ilha sagrada, no Tibre (ainda hoje há um hospital lá). O Imperador Cláudio decretou que todos os que se recuperassem deveriam ser libertados.

As Musas

As Musas eram filhas de Zeus e Mnemosine e, como acompanhantes de Apolo, auxiliavam os humanos em diversos campos do empreendimento artístico. Seu número varia entre um e nove, e, embora seu lugar de residência seja, geralmente, o Monte Hélicon, na Beócia, elas são associadas com fontes e nascentes em muitos outros lugares também, mais notavelmente em Delfos e no Parnaso, lugares favoritos de seu líder Apolo. Era costume pedir o auxílio da musa adequada para inspiração e agradecê-la por uma produção bem-sucedida. Cada uma das nove estava associada a uma área específica de atuação artística:

Calíope – poesia épica;
Clio – história;
Euterpe – música e poesia lírica;
Terpsícore – lírica e dança;
Erato – poesia lírica, especialmente poesia amorosa e erótica;
Melpomene – drama teatral;
Talia – comédia;
Polímnia – mimo e poesia sacra (canto coral);
Urânia – astronomia.

ARTE E CULTURA POSTERIORES:

AS MUSAS

Uma das reaparições mais interessantes das Musas na arte posterior é *Retratos por meio das personagens das Musas no templo de Apolo* (1778), de Richard Samuel, que retrata nove moças líderes literárias à época de Samuel disfarçadas das nove acompanhantes de Apolo.

⚜ Hécate ⚜

*Hécate portadora da tocha, filha sagrada
da noite de amplo seio.*
BAQUÍLIDES, FRAG. 1B.

Museus do Vaticano, Cidade do Vaticano
Hécate tripla das encruzilhadas; cópia romana de um original grego.

Hécate auxiliou Deméter em sua busca por Perséfone (cf. p. 74), carregando tochas para dar continuidade à procura à noite. Quando Perséfone foi localizada na corte de Hades, Hécate achou que o mundo subterrâneo era de seu gosto e lá permaneceu, tornando-se um dos deuses infernais. O caráter de Hécate era tal que mesmo aqueles acostumados a uma ocasional conduta bizarra por parte de seus deuses a achavam um tanto perturbadora. Coube a ela a supervisão dos ritos religiosos, das purificações e das expiações, de modo que ela era encontrada com frequência mediando dentre os mortais as forças das trevas, tais como as Fúrias e Nêmesis, que perseguiam incansáveis os transgressores.

Santuários a Hécate eram encontrados nas encruzilhadas, que têm sido, por um longo tempo, um dos locais preferidos para a evocação de demônios e para o encontro de bruxas (e onde assassinos e suicidas eram enterrados na Bretanha até o século XIX); portanto, é adequado que Hécate fosse a senhora dos demônios e a patrona das bruxas.

Embora alguns, como os necromantes e aqueles que lançam feitiços e maldições, oferecessem sacrifícios a Hécate pelo que ela era capaz de fazer, os gregos e os romanos comuns ofereciam sacrifícios a

Hécate pelo que ela não faria, ou na esperança de que a deusa ordenaria os vários seres malignos sobre os quais ela tinha poder a cessar de arruinar a vida dos que a ela apelavam.

Geralmente, durante suas viagens noturnas, Hécate era acompanhada pela rainha troiana Hécuba, que havia se vingado de forma horrenda do assassino de um de seus filhos depois da queda da cidade e a quem Hécate havia transformado num cão negro (cf. p. 192). Outro familiar era uma doninha negra que havia sido uma feiticeira. A própria Hécate podia assumir a forma tripla de cavalo, cão e leão e aparecer dessa forma em seus santuários nas encruzilhadas, com a forma humana de frente para a quarta direção.

Como um sacrifício a Hécate, era tradição depositar certos alimentos – preferencialmente mel – nas encruzilhadas durante a lua cheia, onde os pobres o consumiam de forma grata em benefício da deusa.

⚜ ÉRIS (DISCÓRDIA) ⚜

Há Éris, a que provoca os males da guerra e da carnificina.
Ela é brutal e não é amada por ninguém, mas, às vezes,
por necessidade ou porque os deuses imortais a desejam, ocorre
de os humanos ainda procurarem honrar seus modos severos.

HESÍODO, *TRABALHOS E DIAS*, 11SS.

Éris era parte da sinistra linhagem de Nix, a Noite. Entretanto era tão capaz e entusiasmada em seu papel de deusa do conflito e da discórdia que muitos a chamavam de irmã de Ares. Éris era a deusa da contenda, seja essa contenda uma questão intrafamiliar ou uma guerra internacional. Havia, também, outro aspecto de Éris, no qual ela era a deusa que promovia um espírito de competição e rivalidade, e, assim, podia ter efeitos positivos. Por isso, um homem pobre e preguiçoso, diz Hesíodo, pode observar os ricos campos de seu vizinho e ser encorajado por Éris a levantar o traseiro e fazer algo com seus próprios campos. Ou Éris poderia encorajá-lo a reunir um grupo de amigos e tentar tomar os campos do vizinho em nome da distribuição equitativa. Tudo era lenha para sua fogueira.

UM FÚTIL TRABALHO DE HÉRACLES

Esopo narra uma fábula na qual Héracles estava atravessando um vale entre montanhas quando viu o que parecia ser uma maçã jogada no chão. Ele a atingiu com sua clava futilmente, pois, para sua surpresa, não apenas a maçã permaneceu intacta depois do golpe, mas ela até parecia mais robusta do que antes. Sendo um homem que nunca recuava diante de um desafio, Héracles continuou a desferir na maçã vários golpes vigorosos com a clava, que havia previamente matado monstros e feito a própria terra tremer. A maçã crescia viçosamente diante do abuso. Héracles não era o mais arguto dos seres pensantes, mas, quando a maçã cresceu a ponto de bloquear a passagem, ficou claro para ele que seria melhor parar de golpeá-la. Atena, que sempre teve um fraco pelo musculoso semideus, apareceu para explicar que a maçã foi feita manifesta por Éris e que, quando se deixa em paz uma causa de contenda, ela se mantém pequena, mas, quanto mais alguém a provoca, mais rápido ela cresce e maior ela fica.

Homero comentou que Éris começa como uma pequena coisa, mas, ao encorajar a mordacidade em ambos os lados, pode crescer "até sua cabeça tocar os céus". De comum acordo, o golpe de mestre de Éris foi sua resposta ao não ser convidada para o casamento de Tétis (cf. p. 178). A ninfa do mar Tétis era uma amiga e ajudante de muitos dos deuses, e todos vieram de boa vontade a seu casamento com um mortal chamado Peleu. De modo não totalmente inesperado, Éris foi deixada de fora da lista de convidados – afinal, quem quer a Discórdia num casamento? Impedida de entrar na festa, Éris lançou uma maçã com a inscrição "para a mais bela", fazendo questão de não dizer quem seria. Afrodite, Hera e Atena, cada uma, reivindicaram a maçã, e centenas acabariam por morrer diante dos muros de Troia antes que o assunto fosse resolvido.

⚜ Sátiros (faunos) ⚜

Museu de Belas Artes, Boston
Sátiros em ação, numa pintura de vaso de figuras vermelhas do século V.

Humanos compartilhavam o mundo do mito com muitas outras espécies inteligentes. Já encontramos Ninfas, Nereidas e Titãs, todos os quais eram, de alguma forma, divinos. Entretanto, duas outras espécies – sátiros e centauros – estavam emparelhadas com os humanos ou até mesmo mais abaixo (embora houvesse exceções que se sobressaíam em muito ao mortal mediano).

Como acompanhantes de Dioniso e das Ninfas nos bosques, não é surpresa descobrir que sátiros se dedicavam com entusiasmo ao vinho, às mulheres e à canção. (Na verdade, "satiríase" é o termo médico moderno para aqueles que sofrem de apetites sexuais excessivos e incontroláveis – em mulheres, a condição equivalente é conhecida como "ninfomania".)

Os antigos acreditavam que a entrega à sensualidade por parte dos sátiros era um grande defeito moral. Ainda assim, já que essa espécie conseguia aproveitar a vida num grau maior do que grande parte dos humanos, os antigos tinham de admitir a contragosto que talvez os sátiros tivessem algo a mais (além das Ninfas passageiras).

Havia diferentes tipos de sátiros – embora, por definição, todos fossem machos. Jovens sátiros eram *Satyriskoi*, e a variedade antiga com rabo de cavalo era chamada *Seleni* (cf. Sileno, o acompanhante de Dioniso – p. 105), conquanto esses últimos tenham, gradualmente, perdido suas qualidades equinas com a evolução do mito e se fundido às criaturas caprinas com pés de bode devidamente chamadas de "Panes". Apesar de seu estilo de vida decadente, todos os sátiros gozavam de uma saúde robusta, embora tivessem uma tendência a se tornarem calvos cedo, o que acentuava os nodosos chifres em suas cabeças. Faunos eram tecnicamente uma espécie diferente, mas mesmo os antigos logo abandonaram a distinção. (Nem os faunos são relacionados a *fawn* ["cervo"], pois esse termo vem do inglês antigo.)

Museu de Belas Artes, Boston
Sileno em seu lado mais satírico, no interior de uma taça.

Sátiros eram respeitados por terem permanecido ao lado de Dioniso em sua loucura, e as peças satíricas (*satyr plays*) nos festivais atenienses não devem ser confundidas com as peças satíricas (*satirical plays*) modernas (*satire* tem uma etimologia diferente)[1]. O libertino Hermes também gostava da companhia deles.

Sátiros excepcionais incluíam os músicos Mársias (cf. p. 84) e Croto, cuja habilidade como percursionista o tornou amigo das Musas. Enófilos (amantes do vinho) são convidados a levantar suas taças a Leneu, o antigo sátiro que se tornou o patrono dos que fazem vinho, e outra taça – e outra, e outra, e outra – a Sileno, o sátiro que se tornou o patrono do excesso de embriaguez.

---

1 As peças satíricas nos festivais atenienses se caracterizavam, fundamentalmente, por apresentarem um coro vestido de sátiros com grandes falos, pela linguagem jocosa com alusões sexuais e por apresentarem final feliz. A língua portuguesa não distingue a diferença etimológica entre *satyr* e *satire* como a língua inglesa. Enquanto *satyr* remete à criatura mitológica, *satire* tem sua origem no latim *satur*, "cheio" (do qual temos "saturado"), e se caracteriza pelo forte tom irônico e sarcástico [N.T.].

> **SOPRANDO QUENTE E FRIO**
>
>
>
> Numa antiga fábula, um sátiro que vagava pela floresta num dia de inverno encontrou um homem que tinha sido pego pela onda de frio. O sátiro ficou intrigado com o comportamento do homem e lhe perguntou o que estava fazendo. O homem explicou que suas mãos estavam congelando e ele as estava soprando para aquecê-las. Tocado pela situação do homem, o sátiro o levou para casa e lhe deu uma tigela de sopa para aquecê-lo. A sopa estava muito quente, e, assim que o homem começou a soprar para esfriá-la, o sátiro o expulsou, dizendo que o sopro do homem não poderia, ao mesmo tempo, aquecer e esfriar. É por isso que, ainda hoje, uma atitude inconsistente é chamada "soprando quente e frio"[2].

⚜ Centauros ⚜

Ixíon, filho de Ares, era, em geral, um cara ruim. Ele matou o sogro – e, depois de ser perdoado por Zeus, nutriu uma paixão pela própria avó, Hera. Zeus suspeitou que Ixíon não tinha boas intenções e moldou uma nuvem sob a forma de Néfele, um ser à exata semelhança de Hera. O concupiscente assalto de Ixíon a Néfele resultou em ele ter sido amarrado eternamente numa roda de fogo (a roda era personificada por uma ninfa chamada Íinx, cuja roda também era usada por feiticeiros, que é a origem da palavra moderna "*jinx*" ["aquele que traz azar"]). O estupro também resultou na gravidez de Néfele, e, quando sua bolsa rompeu, a tromba d'água resultante produziu os centauros.

Os centauros eram encontrados nas bordas do mundo civilizado e, embora fossem inteligentes, haviam nascido de um desejo violento e facilmente perdiam seu autocontrole – como os sátiros, eles eram tomados por suas paixões. Diferentemente dos sátiros, contudo, os centauros eram

---

2 A expressão em inglês é "*blowing hot and cold*", para a qual não há no português uma equivalente com a mesma origem na fábula. Talvez a expressão com sentido mais próximo no vernáculo seja "morde e assopra" [N.T.].

Museu do Louvre, Paris
Cupido cavalgando um centauro, cópia romana de um original grego.

criaturas poderosas, e um centauro apaixonado era extremamente perigoso. Cênis, a mulher que Poseidon transformou num homem guerreiro invulnerável (cf. p. 68), encontrou seu fim quando os centauros o socaram na terra com os troncos de pinheiros. Tentativas, por parte dos humanos, de serem amigos dos centauros, invariavelmente, afundaram no mar da insensatez que estava no âmago do caráter do centauro. Pirítoo, um rei tessálio, convidou os centauros para seu casamento. Eles ficaram bêbados rapidamente e investiram contra a noiva e suas acompanhantes, e o casamento se tornou uma batalha campal. Isso é descrito por Ovídio em seu melhor estilo inflamado e sangrento:

> *[...] caindo de costas, [ele morreu], seus pés retumbando no chão ensanguentado. Sangue jorrou tanto de sua boca como de seu ferimento, misturado em parte com cérebro e vinho. Seus irmãos, semelhantes em sua natureza, foram inflamados por sua morte, e se lançaram à ação, berrando em uníssono: "Às armas! Às armas!" Eles estavam enlouquecidos pelo vinho e, naquela*

> *batalha inicial, taças, jarros delicados e bacias redondas,*
> *todas as coisas concebidas para o banquete, agora eram*
> *arremessadas aos ares ou empregadas como armas de guerra e morte.*
> OVÍDIO, *METAMORFOSES*, 12.220SS.

Mesmo um centauro sábio e civilizado como Folo era um amigo perigoso, pois, quando recebeu Héracles em sua caverna, o cheiro do vinho foi suficiente para acometer os outros centauros de uma fúria perigosa. O herói acalmou a situação do melhor modo que pode – matando cada centauro à vista. Isso incluía Folo, acidentalmente atingido no pé por uma flecha envenenada; porém ele foi recompensado por sua hospitalidade bem-intencionada, mas desastrosa, ao ser acomodado na constelação de Centaurus (da qual Alfa Centauri é a estrela mais próxima de nós na galáxia).

Quíron, o tutor de Aquiles, foi outro "bom" centauro, pois era de uma raça diferente, sendo um filho de Crono com uma ninfa. Ainda assim, Quíron contribuiu para a natureza selvagem de Aquiles ao alimentá-lo com sangue ainda morno de suas matanças. Quíron tinha interesse pela medicina (daí o nome da planta medicinal centáurea). Apesar disso, ele não tinha remédio para a agonia que sofreu quando atingido por uma flecha que tinha a ponta besuntada com o veneno da Hidra (novamente, uma flecha cortesia de Héracles) e, voluntariamente, desistiu de sua imortalidade para ser colocado dentre as estrelas. Embora oficialmente ligado à constelação Centaurus, a associação de Quíron com o arco e flecha fez com que a constelação de Sagitário (o arqueiro) fosse comumente representada como um centauro.

Relevos do Pártenon de centauros combatendo humanos.

❧ 6 ☙

Os heróis e suas missões

Canto armas e varões.
PRIMEIRO VERSO DA *ENEIDA*, DE VIRGÍLIO.

Antes da época de Homero, um herói era simplesmente alguém que conseguia custear uma panóplia inteira e, idealmente, uma carruagem. Mas, depois que os modos de Héracles e Perseu adentraram a mitologia clássica, um herói era uma figura semidivina que palestrava com os deuses regularmente e que, com a ajuda dos deuses, realizava feitos sobre-humanos. (É porque faz alguém se sentir capaz de tais feitos que um opiáceo perigosamente viciante é chamado de "heroína".) Feitos heroicos, geralmente, acabavam com um monstro morto, e a terra um pouco mais ordenada e segura para a humanidade. Enquanto havia centenas de mitos menores com heróis grandes e pequenos, a maioria desses mitos era subenredo relacionado aos eventos recontados nos capítulos seguintes.

❧ A MISSÃO HEROICA BÁSICA ☙

O quinhão de um herói era alcançar alguma coisa distante, matá-la ou trazê-la para casa – ou ambas, no caso de Perseu (cf. adiante). O caminho para o destino final do herói era, com frequência, bloqueado por obstáculos que poderiam ser superados apenas com ajuda divina e a perspicácia inata do herói. Amiúde, o herói começava com uma grande desvantagem, como um destino nefasto ou uma deusa extremamente antagonista (no caso dos heróis filhos de Zeus, a segunda possibilidade podia ser tomada como pressuposto, graças a Hera). Embora os heróis do mito, por vezes, encontrassem um fim desagradável, compartilhavam um consolo comum com os heróis de todos os tempos e lugares – eles, geralmente, conseguiam conquistar a mocinha.

OS HERÓIS E SUAS MISSÕES

Essencialmente, a missão do herói passava pelos seguintes estágios:

Parte 1

Origens – Pessoas comuns nem deveriam se inscrever. Os grandes heróis do mito são nobres ou mesmo semidivinos. Jasão, líder dos argonautas, pode ter tido um nascimento nobre, mas outros como Héracles, filho de Zeus, estavam, com certeza, se rebaixando em sua companhia.

Parte 2

Destino funesto – Um herói nasce com o dado cósmico lançado contra ele. Já que tentar evitar o destino é invariavelmente fútil, a maioria dos heróis se concentra em compartilhar o sofrimento com o maior número de vítimas merecedoras possível.

Parte 3

Sob jugo – Nosso herói acaba, de alguma forma, sob o poder de um sórdido rei, que o envia a uma cuidadosamente planejada...

Parte 4
... missão suicida.

Parte 5

Auxílio – Enquanto executa sua tarefa, nosso herói obtém implementos heroicos e auxiliadores, divinos ou não.

Parte 6

A jornada – Nosso herói segue seu destino, geralmente deixando um rastro de corpos pelo caminho. Com Héracles, a combinação de deusa vingativa e herói feliz com sua clava tornaram a carnificina particularmente intensa.

Parte 7

Cumprindo a missão – Esse era um momento por vezes excitante, por vezes anticlimático, quando a missão era cumprida.

Parte 8
Voltando para casa – Veja a Parte 6. Com corpos extra.

Parte 9
Desfecho – O herói retorna, geralmente depois de se apoderar de uma companhia feminina. Esse é, com frequência, o ponto em que o sórdido rei morre de forma dolorosa.

✥ Perseu: adquirindo uma cabeça ✥

*O filho de Dânae de belos cabelos, o cavaleiro Perseu...
com suas sandálias aladas e espada de bainha negra.*
HESÍODO, O ESCUDO DE HÉRACLES, 215.

D.A.I., Roma
Perseu foge com a cabeça de Medusa, com o auxílio de Atena.

Origens – Filho de Dânae, da linhagem de Dânao (cf. p. 37), neto do Rei Acrísio e filho de Zeus, rei dos deuses.

Destino funesto – Perseu estava destinado a matar seu avô, o que levou Acrísio a tentar se certificar de que sua filha nunca concebesse um filho. Ele falhou quando Zeus penetrou seus aposentos como uma radiante chuva de ouro.

Sob jugo – Depois de ser exilado com sua mãe, Perseu cresceu sob o Rei Polidectes, que decidiu se casar com sua mãe. Polidectes cobrou de Perseu um imposto em cavalos, que ele sabia que o herói não poderia pagar.

Missão suicida – Perseu devia encontrar Medusa a Górgona, matá-la e trazer de volta sua cabeça no lugar do imposto não pago em cavalos.

MEDUSA A GÓRGONA

Havia três górgonas, irmãs dotadas de grande beleza, embora apenas Medusa (literalmente, "rainha") fosse mortal. Infelizmente, as górgonas eram excessivamente orgulhosas de sua aparência, e isso as levou a se gabarem de que sua beleza excedia mesmo aquela dos grandes deuses. Essa impudência poderia ter passado despercebida se Medusa não houvesse tido relações sexuais com Poseidon, e num templo de Atena. Atena, imediatamente, amaldiçoou as górgonas com uma aparência odiosa. Ela dedicou atenção especial a Medusa, transformando seus lustrosos cachos em sibilantes serpentes e tornou sua aparência tão terrível que todos os que a olhassem eram imediatamente transformados em pedra.

Auxílio – Uma espada de adamantina e um escudo de bronze de Hermes (que também lhe havia emprestado suas sandálias aladas), o conselho de Atena sobre como encontrar Medusa e uma capa de invisibilidade de algumas Ninfas propícias.

A jornada – Perseu foi guiado até uma caverna com três bruxas que conheciam o paradeiro da Górgona. Essas três mulheres tinham apenas um único olho e um único dente compartilhado entre elas. Naquele que estava longe de ser seu melhor momento, Perseu interceptou o olho sendo passado de mão em mão e aterrorizou as velhas senhoras a lhe dar a informação que desejava. Ao ir embora, jogou o olho num lago próximo.

Cumprindo a missão – Tornado invisível pela capa e usando o escudo como um espelho, de modo que ele não olhasse diretamente para Medusa, Perseu lhe cortou a cabeça e fugiu com as sandálias aladas enquanto as outras górgonas ainda tentavam entender o que tinha acontecido.

De volta para casa – Depois de uma escala no Egito, Perseu se deparou com Andrômeda acorrentada a uma rocha para ser consumida por um monstro marinho. (Isso ocorreu porque Cassiopeia, mãe de Andrômeda, havia ofendido os deuses se vangloriando de sua beleza "divina".) Perseu matou o monstro, casou-se com Andrômeda e, com a cabeça da Medusa, petrificou o noivo anterior e a comitiva que o acompanhava quando eles se opuseram.

Desfecho – O Rei Polidectes também foi petrificado, e Dânae foi salva do casamento. Perseu, inadvertidamente, arremessou um disco contra seu avô durante um evento esportivo, matando-o conforme predito pela profecia. De forma incomum para um mito antigo, Perseu e Andrômeda viveram felizes para sempre.

Notas de rodapé – A cabeça da Górgona era, com frequência, representada nos escudos dos hoplitas atenienses, talvez na esperança de que ela traria a mesma proteção da cabeça original, que foi parar na impenetrável Égide de Atena.

Perses, filho de Perseu, seguiu para o leste para se tornar o ancestral da nação persa. Quando morreram, Perseu, Andrômeda e Cassiopeia foram conduzidos para os céus. Andrômeda é uma galáxia inteira, enquanto Perseu é apenas uma constelação. A estrela Beta Per em sua constelação representa a cabeça da Górgona, portanto não é aconselhável olhá-la por muito tempo.

ÁRVORE GENEALÓGICA SIMPLIFICADA DE PERSEU

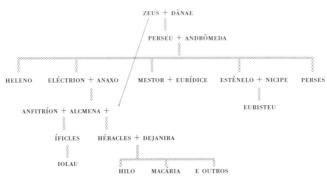

ARTE E CULTURA POSTERIORES:
PERSEU E MEDUSA

Do mesmo modo que o elemento extremamente sensual, como em *Dânae recebendo a chuva de ouro* (1553), de Ticiano, por exemplo, a violência e o erotismo da lenda de Perseu têm se provado irresistíveis a muitos artistas. No campo da escultura, estão inclusas *Perseu com a cabeça de Medusa* (1545-1554), de Benvenuto Cellini, e *Perseu com a cabeça da Górgona Medusa*, de Antonio Canova, esta exibida pela primeira vez em 1801 (a origem dessas duas últimas pode ter sido um afresco romano na Villa San Marco, em Estábia, na Itália).

Metropolitan Museum of Art, Nova York
Perseu de Canova segurando a cabeça de Medusa.

Na pintura, temos *Medusa*, de Caravaggio (que gostava tanto do tema a ponto de pintar duas no fim do século XVI), e *A cabeça de Medusa* (1617-1618), num trabalho conjunto de Jan Brueghel o Velho e Peter Paul Rubens.

ARTE E CULTURA POSTERIORES:
PERSEU E ANDRÔMEDA

A história de Andrômeda, entrementes, permitiu que artistas expressassem o sadomasoquismo como alta cultura, e muitos aproveitaram a oportunidade, incluindo Rubens (*Andrômeda*, 1638), Pierre Mignard (*Perseu e Andrômeda*, 1679), Theodore Chasseriau (*Andrômeda acorrentada à rocha pelas Nereidas*, 1840), Giorgio Vasari (*Perseu e Andrômeda*, 1570-1572), Gustave Doré (*Andrômeda*, 1869) e Edward Poynter (*Andrômeda*, 1869).

Tate, Londres
Andrômeda de Poynter acorrentada a uma rocha.

(Estranhamente, embora nada na lenda diga que Andrômeda tenha sido acorrentada nua, os artistas pós-clássicos insistem que a moça deva sempre estar assim, talvez porque suas vestimentas tenham ficado presas nos dentes do monstro.) Na escultura, encontramos representações de Daniel Chester French (*Andrômeda*, 1929 – nua) e Pierre Puget (*Perseu e Andrômeda*, 1678-1684 – praticamente nua). Na ópera, em 1781, Anton Zimmermann produziu sua *Andromeda und Perseus* [*Andrômeda e Perseu*].

⚔ Belerofonte: a força aérea da Lícia ⚔

A temível Quimera... as guerreiras amazonas...
os homens mais valorosos da Lícia... Belerofonte os matou a todos.
HOMERO, ILÍADA, 6.179-190.

Origens — Seu pai era Glauco, rei de Corinto, e ele era um neto de Sísifo. Originalmente, um impetuoso jovem chamado Hipônoo, nosso herói matou um homem chamado Belero (Belerofonte significa "matador de Belero") e foi exilado em Argos.

O AVÔ DE BELEROFONTE

Um mestre da esperteza, Sísifo foi o fundador dos Jogos Ístmios (que eram celebrados por Corinto nos tempos romanos). Ele ganhou para seu reino árido uma valiosa fonte, a Pirene, por contar ao deus-rio Asopo aonde Zeus, com a violação em mente, havia levado sua filha. Zeus lançou Sísifo no Tártaro como consequência, mas o astuto Sísifo escapou. Utilizando-se de um esperto estratagema, ele ordenou sua esposa a deixar seu corpo sem ser enterrado e sem honras fúnebres – o que ela cumpriu. No mundo subterrâneo, Sísifo persuadiu Hades a deixá-lo retornar para punir o mau tratamento dispensado por sua esposa a seu corpo e, faltando à sua palavra, conseguiu viver uma segunda vida longa e feliz, durante a qual ele foi pai de Glauco, o futuro rei de Corinto e pai de Belerofonte.
Hades se vingou quando seu hóspede errante morreu uma segunda vez. Ele foi condenado a empurrar uma pedra gigante montanha acima. A tarefa não tinha fim, pois antes que a pedra alcançasse o topo, ela rolava de volta, e a tarefa tinha de ser feita novamente. Na era moderna, qualquer tarefa infrutífera e interminável é chamada de "trabalho de Sísifo".

Destino funesto – Nenhum.

Sob jugo – Em Argos, Belerofonte ganhou o coração da Rainha Antira. Isso era uma má notícia, pois Antira já estava casada com o rei local. Quando Belerofonte rejeitou os avanços de Antira, ela o acusou falsamente de estupro.

Missão suicida – Vários feitos na Lícia (na Ásia Menor), mas, principalmente, matar a Quimera. Filha do aterrorizante Tífon (cf. p. 21), ela era um horror cuspidor de fogo que tinha a frente de um leão, o meio de uma cabra e a cauda de uma cobra (razão pela qual "quimera" é um termo usado na medicina moderna para designar qualquer animal transgênico).

Auxílio – O cavalo alado Pégaso (e seu irmão menos conhecido, Crisaor, pai de Gerioneu – cf. p. 156) era o fruto da união ilícita entre Medusa e Poseidon (cf. p. 129). Quando o sangue de Medusa, ainda fértil com a semente de Poseidon, vazou para o chão, criou Pégaso, pois Poseidon era também, claro, um deus dos cavalos. Pégaso voou para a Grécia, e, ao pousar no Monte Parnaso, uma fonte surgiu onde seu casco batera. Ela era a Hipocrene, a fonte de inspiração para muitos poetas.

Quando Belerofonte apelou a Atena por ajuda, ela lhe deu arreios mágicos, com os quais ele domou Pégaso.

A jornada – Sem intercorrências, embora Belerofonte tenha sido enviado com um bilhete para seu novo anfitrião, o rei da Lícia, que o instruía a matar Belerofonte assim que chegasse. Felizmente, o anfitrião só leu o bilhete mais tarde.

Cumprindo a missão – Belerofonte usou uma lança de chumbo, a qual enfiou na garganta da Quimera. Quando ela expeliu fogo, a lança derreteu, e o monstro morreu engasgado.

De volta para casa – Belerofonte permaneceu na Lícia. Agora ciente de que deveria matar seu hóspede, o rei enviou Pégaso e Belerofonte contra uma série de exércitos, mas o par triunfava toda vez. Finalmente, o rei desistiu de suas intenções malignas, confessou tudo e permitiu que Belerofonte se casasse com sua filha.

Desfecho – Belerofonte começou a se inquietar com a paz e a prosperidade e se tornou arrogante. Por fim, tentou ascender ao Olimpo cavalgando Pégaso. Zeus enviou uma mutuca para ferroar Pégaso, que coiceava violentamente, e Belerofonte caiu. Ele ficou aleijado, desfigurado e longe de casa: "odiado pelos deuses, ele vagava naquela planície sozinho, devorando seu próprio coração e evitando os modos dos homens" (Homero, *Ilíada*, 6.200). Por ter morrido no exílio, é adequado que *Belerofonte* fosse uma das embarcações que levou Napoleão Bonaparte a seu exílio em Santa Helena.

Notas de rodapé – Pégaso era mortal e, ao morrer, se tornou uma constelação. Ele permanece como um dos símbolos mais duradouros da mitologia clássica e aparece numa série de produtos. De fato, este texto foi escrito num computador fabricado por uma companhia que era chamada Pegasus antes que as três primeiras letras fossem removidas do nome.

ARTE E CULTURA POSTERIORES:
BELEROFONTE

Cavalos alados têm se provado populares com artistas ao longo das eras: Giovanni Battista Tiepolo produziu *Belerofonte sobre Pégaso* (1746-1747) e Rubens produziu *Belerofonte cavalgando Pégaso combate a Quimera* (1635). Johann Nepomuk Schaller, por sua vez, produziu a escultura *Belerofonte combatendo a Quimera* (1821).

⊰ Jasão: ⊱

EM BUSCA DO OURO

Pois Frixo nos ordena a seguir para os salões
do palácio de Eetes…
e levar conosco o felpudo
velo do carneiro,
sobre o qual ele escapou pelo mar.
PÍNDARO, *QUARTA ODE PÍTICA*, 285.

Origens – Filho de uma família de realeza menor da Tessália. Em razão de uma complexa confusão, foi criado pelo centauro Quíron.

Destino funesto – O destino funesto foi o do Rei Pélias, contra quem Hera tinha rancor. Pélias foi avisado para ficar atento a um "homem com uma sandália".

Sob jugo – O erro de Jasão foi aparecer indevidamente calçado (pois havia perdido uma sandália num rio) à corte do tirano assassino, mas justificadamente paranoico.

Missão suicida – Levar o Velo de Ouro de volta à Tessália. As origens do Velo de Ouro estão em Néfele (cf. p. 123), que se casou com o primeiro rei da Tessália e teve dois filhos, Hele e Frixo. O rei tessálio era polígamo e tinha uma segunda esposa, a filha de Cadmo e Harmonia (cf. p. 93), que invejava as crianças de forma feroz. Essa esposa planejou sabotar a colheita do reino tostando os grãos.

Quando o rei enviou emissários a Delfos para descobrir o que havia acontecido, ela os subornou para que dissessem que tudo ficaria bem se os filhos de Néfele fossem sacrificados aos deuses. Néfele ficou sabendo do plano e usou suas conexões divinas para conseguir um carneiro mágico de Hermes. Os filhos fugiram para o leste montados no carneiro, embora Hele tenha caído ao cruzar entre a Europa e a Ásia e se afogado nas águas, que são chamadas Helesponto por causa

OS HERÓIS E SUAS MISSÕES

dessa ocasião. Frixo chegou a salvo na Cólquida, litoral do Mar Negro, onde sacrificou o carneiro aos deuses e pregou sua pele de ouro numa árvore. Desde então, era protegido por um dragão.

O carneiro se tornou a constelação de Áries (termo latino para carneiro). Quando Áries ascendia, significava aos agricultores que era época de semear seu grão. Semear antes resultava no grão se tornando ressecado, que foi como o episódio todo veio à baila – ou ao menos assim diz Pseudo-Higino em sua *Astronomica* (Livro 2).

Auxílio – Jasão reuniu um grupo de aventureiros (incluindo Orfeu, o músico, dois filhos de Hermes, o filho de Pélias, os Dióscuros e o super-herói Héracles – cf. adiante). Ele, então, construiu uma embarcação – *Argo* – de acordo com as instruções de Atena. Como a proa do barco foi construída com os carvalhos sagrados do oráculo de Zeus em Dodona, a própria nau era senciente e não se acanhava em expressar suas opiniões.

A jornada

1. Uma pausa na Ilha de Lemnos, onde as mulheres haviam matado seus homens e viviam sozinhas. Essas mulheres receberam a carga de heróis com o que pode ser chamado polidamente de "braços abertos". Jasão teve vários filhos com a rainha, Hipsípile.

2. Uma parada no Helesponto, onde o Rei Cízico atacou a tripulação. Atacar uma carga de heróis era sempre um erro, e um erro triplo se a tripulação incluía Héracles. Cízico foi enterrado próximo à cidade, que recebeu seu nome e se tornou uma cidade notável nos tempos antigos.

3. Diversos obstáculos, incluindo rochas flutuantes que destroçavam qualquer embarcação que navegasse entre elas. Os argonautas foram guiados pelo adivinho cego Fíneas, a quem salvaram das Harpias. Mais tarde, a música de Orfeu conduziu a tripulação ilesa ao passar pelas temíveis Sirenas (cf. p. 138).

HARPIAS E SIRENAS

Íris, a bela mensageira dos deuses, tinha duas (ou três) irmãs torpes, as Harpias. *"Harpyiae"* significa "ladras", e é isso o que essas criaturas eram, arrebatando a comida de suas vítimas e as roubando antes que pudessem ser consumidas. O restante ficava tão poluído por seu cheiro rançoso que não poderia ser comido de jeito nenhum. Suas plumas eram duras como armaduras de aço, e suas faces, pálidas de fome. Elas atormentaram Fíneas o Adivinho até serem expulsas pelos argonautas e se refugiarem na ilha onde Eneias, mais tarde, as encontrou em seu trajeto para a Itália.

Staatliche Museen Preussischer Kulturbesitz, Berlim
Harpias num vaso grego do século VII a.C.

As Sirenas eram moças que falharam em proteger Perséfone e foram transformadas em criaturas semelhantes a pássaros. Elas ficavam principalmente nas ilhas em torno do sul da Itália e atraíam navegantes para sua morte com belas canções. O problema é que, se uma sirena falhasse em capturar seu homem, ela perecia. Então os argonautas as aniquilaram de toda a região a leste quando a canção da sirena não conseguiu competir com a de Orfeu. Mais tarde, Odisseu também resistiu ao charme delas, ocasionando mais mortes. As Sirenas se tornaram mais cacofônicas desde que as sirenes modernas passaram a ser usadas em barcos a vapor no século XIX; o "canto da sirena" ainda se refere a uma oferta sedutora, mas é melhor que seja evitado[3].

---

3 O termo "sirene" tem origem na palavra grega que designa as sirenas, com frequência traduzida como "sereia". A língua inglesa distingue as sirenas (sirens) das sereias (mermaids) – essas últimas, mulheres com a parte inferior do corpo em forma de cauda de peixe. Na língua inglesa, a expressão é "siren song", enquanto, na língua portuguesa, o termo mais corrente é "canto da sereia" [N.T.].

Museu do Vaticano, Cidade do Vaticano
Um traje nada confortável: Jasão emerge de dentro do dragão.

Cumprindo a missão – O velocino estava sob os cuidados do Rei Eetes (o irmão de Pasífae – cf. p. 153), que prometeu entregá-lo assim que Jasão arasse a terra e a semeasse por um tempo. Os bois que deviam puxar o arado eram do tipo que tinha pés de bronze e matavam homens, e as sementes eram de dentes de dragão, que, instantaneamente, germinavam homens armados e homicidas.

Entretanto, Jasão tinha chamado a atenção da filha de Eetes, a muito (muito) formidável feiticeira Medeia. Ela dopou os bois e aconselhou Jasão a arremessar pedras contra os homens armados conforme eles germinavam, de modo que eles matassem uns aos outros durante a briga que se seguiria. O dragão que protegia o velocino tentou engolir Jasão, mas Medeia fez a fera desistir de levar sua refeição adiante.

De volta para casa – Eetes navegou em perseguição quando a *Argo* partiu com o velocino, mas Medeia havia trazido consigo seu pequeno irmão exatamente para uma tal eventualidade. Ao despedaçar o infeliz e lançar os nacos ao mar em intervalos regulares, ela forçou o pai a desistir da perseguição, de modo que ele conseguiu recuperar apenas o suficiente do corpo para um funeral. Pelo terrível crime de Medeia, os argonautas precisaram ser purificados pela feiticeira Circe (cf. p. 204).

Desfecho – Medeia persuadiu as filhas do Rei Pélias de que elas podiam trazer a seu pai juventude e vida eterna ao fazê-lo em picadinho e cozinhando os pedaços. Quando Pélias não ressuscitou da sopa, Jasão e Medeia foram exilados.

Depois de viverem em Corinto por dez anos, Jasão se divorciou de Medeia para se casar com a princesa coríntia Glauce (uma descendente de Sísifo – cf. p. 133). Medeia deu à nova esposa de Jasão um espetacular vestido de noiva, que explodiu em chamas quando a noiva o vestiu (um caso no qual a noiva, de fato, parecia radiante). O calor intenso matou tanto Glauce como seu pai. Depois de matar os filhos que teve com Jasão, Medeia fugiu para Atenas numa carruagem conduzida por dragões.

Isso deixou Jasão arrasado, sentado à sombra de sua amada *Argo*, sonhando com glórias passadas. Mas a nau tinha se tornado decrépita, e a proa apodrecida caiu sobre Jasão e o matou.

A história de Medeia era outro sucesso do tragediógrafo antigo Eurípides. Plínio o Velho diz que o "Templo de Juno Argiva", na Etrúria, tinha fama de ter sido fundado por Jasão – se o foi pelo argonauta, isso sugere que ele fez um enorme e não registrado desvio.

Medeia, a rainha feiticeira, prepara-se para partir enquanto Glauce (centro) pega fogo.

ARTE E CULTURA POSTERIORES:

JASÃO E MEDEIA

Museu de Orsay, Paris
A representação de Jasão e Medeia feita por Moreau.

Não surpreende que Medeia tenha sido um assunto popular para os artistas e, de certa maneira, tenha roubado a cena de Jasão na arte posterior. Na pintura, ela foi retratada por Gustave Moreau (*Jasão e Medeia*, 1852), Frederick Sandys (*Medeia*, 1866-1868), J.W. Waterhouse (*Jasão e Medeia*, 1907), Bernard Safran (*Medeia*, 1964) e Eugène Delacroix (*Medeia*, 1862). *Medeia* é, também, uma ópera de 1693, de Marc-Antoine Charpentier.

⊰ Psiquê e Cupido ⊱

Esse conto costumeiro da mocinha que encontra o mocinho-deus, da mocinha que perde o mocinho-deus, da mocinha que recupera o mocinho-deus é um acréscimo posterior ao *corpus* mitológico e aparece em apenas um de dois dos romances que sobreviveram da Roma antiga, o *Asno de ouro*, de Apuleio.

Origens – Incerta (Psiquê é o termo grego para "alma"), mas filha de um rei e de excepcional (portanto perigosa) beleza.

Destino funesto – A invejosa ira de Vênus (esse é um mito romano, então Afrodite é Vênus).

Sob jugo – Enviado por Vênus para sabotar a vida amorosa de Psiquê, o próprio Cupido se apaixonou pela garota, e ela, claro, por ele. Cupido a levou ao palácio onde Psiquê tinha tudo, exceto a vista de seu marido, a quem ela era proibida de ver. Quando ela quebrou a regra e olhou para seu marido, Cupido fugiu, deixando Psiquê à mercê de Vênus.

Missões suicidas – Vênus ordenou que, para ter Cupido de volta, Psiquê deveria executar uma série de tarefas ainda mais letais:
• separar uma enorme cesta de grãos misturados (cumprida por formigas que se simpatizaram);
• pegar lã de uma ovelha de ouro, mas perversamente assassina (cumprida com a ajuda de um amigável deus-rio);
• pegar água de uma fonte inacessível num penhasco, guardada por serpentes venenosas (realizada por uma águia prestativa);
• ir ao mundo subterrâneo e retornar com um presente de Perséfone (que Psiquê corajosamente tentou cumprir, mas falhou, caindo, por fim, num sono eterno).

De volta para casa – Cupido, que tinha perdoado Psiquê, acordou-a. Ele tinha um considerável poder de barganha, pois, se entrasse em greve, nem humanos nem animais sentiriam o impulso de se reproduzir, e usou esse poder para forçar uma assembleia dos deuses, na qual o próprio Júpiter (Zeus, mas ainda estamos na Roma antiga) decretou que Psiquê deveria se casar com Cupido e que, ao beber ambrosia, ela se tornaria imortal.

Desfecho – Esse é um caso em que amantes viveram mesmo felizes para sempre, com ênfase no "sempre". A filha de Cupido e Psiquê é Voluptas, a deusa dos prazeres sexuais.

ARTE E CULTURA POSTERIORES:

PSIQUÊ E CUPIDO

Com a lendária predileção dos franceses por *l'amour*, não surpreende que os artistas franceses tenham tomado a liderança em retratar essa charmosa história. *L'Amour et Psyché, enfants* (1889), de William-Adolphe Bouguereau, mostra um casal gracioso e infantil, familiar em qualquer cartão de Dia dos Namorados. *L'Amour et Psyché* (c. 1840) de François-Édouard Picot, é uma interpretação mais dramática. Entretanto a interpretação mais emocionante dessa história está em mármore, a saber, a representação de Cupido reanimando Psiquê de Antonio Canova, *Psyché reanimée par le baiser de l'Amour* (1787), no Louvre.

❧ Atalanta – As provações de uma heroína ☙

Talvez tu tenhas ouvido o nome de uma virgem,
que continuamente em rapidez os jovens mais rápidos superou?
OVÍDIO, *METAMORFOSES*, CANTO 10.

Origens – O pai de Atalanta queria um menino. Ele ficou tão desapontado quando sua esposa deu à luz uma menina que abandonou a criança para morrer na natureza selvagem da Arcádia. Entretanto, numa espécie de preâmbulo à história de Rômulo e Remo, Atalanta foi adotada por um animal selvagem. No caso dela, foi amamentada por uma ursa, até que alguns caçadores a encontraram e assumiram a tarefa de cuidar da criança selvagem.

Os caçadores fizeram um trabalho excepcional, pois Atalanta acabou se tornando uma grande corredora, lutadora e arqueira, bem como dona de uma beleza excepcional. Ela derrotou o pai de Aquiles numa luta e por acaso matou dois centauros que tentaram violentá-la. Estava dentre aqueles que se voluntariaram para acompanhar Jasão na *Argo*, mas ele recusou sua oferta, sabiamente considerando o efeito que a bela moleca teria em sua tripulação carregada de testosterona.

Destino funesto – Quando uma beleza irresistível se junta a um compromisso ferrenho com a virgindade, um deles tem que ceder…

A missão – Atalanta estabeleceu sua própria missão na vida – estava determinada a se manter virgem a qualquer custo. Considerando suas habilidades excepcionais e sua beleza, isso não seria tarefa fácil, já que a população masculina inteira da Grécia tomou a atitude dela como um desafio. Mas o assunto foi complicado ainda mais por Afrodite, deusa do amor, que, geralmente, parecia considerar a virgindade uma afronta pessoal – em especial, quando expressa de maneira estridente por uma bela moça.

Obstáculos – O próximo exemplo de sordidez desmedida que Atalanta teve de enfrentar não foi do tipo proveniente do macho chauvinista, mas de um enorme e violento javali selvagem. Essa criatura tinha sido colocada na região da Caledônia, na Grécia, por Ártemis como uma punição, depois que o rei havia se esquecido de oferecer sacrifício a ela. Com o campo sendo destruído rapidamente, o rei apelou a todos os heróis da região para se juntarem numa enorme caçada ao javali. Vários recém-argonautas aceitaram o desafio, e, assim, terminaram, no fim das contas, se aventurando ao lado de Atalanta. Um desses argonautas era um belo e jovem príncipe chamado Meleagro.

Atalanta foi instrumental na morte do javali, pois foi sua flecha que feriu mortalmente a fera. Entretanto, alguns dos outros caçadores ficaram relutantes em entregar o prêmio – a pele do javali – a uma mera mulher. Meleagro estava convencido de que Atalanta deveria receber a pele. O assunto se tornou uma grande controvérsia que colocou Meleagro contra seus tios, resultando na morte destes e, indiretamente, na de Meleagro também.

O antigo escritor de viagens Pausânias registra uma fonte no sul da Grécia que se acreditava ter jorrado de uma rocha que Atalanta atingiu com sua lança.

MELEAGRO E AS MOIRAS

Certo dia na infância de Meleagro, enquanto o bebê estava deitado ao lado do fogo, as três Moiras apareceram, e a mãe as ouviu discutindo o futuro da criança. Duas delas, Cloto e Láquesis, tinham preparado um futuro nobre para o infante, mas Átropos, quem corta os fios das vidas humanas, olhou tristemente para uma lenha na fogueira e disse: "Ele vai morrer assim que esse galho terminar de queimar". Quando as Moiras desapareceram, a mãe apressadamente tirou o pedaço de lenha chamejante do fogo, extinguiu-o e escondeu a lenha, trancando-a em segurança. Meleagro cresceu e gozou do futuro feliz que as outras duas Moiras predisseram. Entretanto ele entrou em conflito com um de seus parentes e acabou matando seus tios em combate. Enfurecida pela morte de seus irmãos, a mãe tirou o pedaço de lenha que havia guardado por tantos anos e o jogou no fogo, embora, após a morte de Meleagro, ela tenha ficado tão arrependida que se enforcou. Outros parentes de Meleagro tiveram grandes papéis em mitos posteriores – incluindo uma irmã, Dejanira, que se casou com Héracles (e o matou inadvertidamente) (cf. p. 159), e um sobrinho, Diomedes, que foi um guerreiro poderoso na Guerra de Troia (cf. p. 184).

Cumprindo a missão Atalanta, desde então, tornou-se mais desiludida com o gênero masculino do que nunca. Contudo, reconciliou-se com seu pai, que desejava que ela se casasse. Atalanta concordou, sob uma condição: em lugar de seus pretendentes a perseguirem, ela os perseguiria – com uma arma. A competição seria uma corrida a pé, com a mão e a virgindade de Atalanta como prêmio. Entretanto, quem quer que falhasse em ficar à frente de Atalanta seria morto quando a caçadora de pés rápidos o alcançasse.

Atalanta era muito atraente, mas era também muito rápida, e logo um número impressionante de cabeças passou a adornar a lateral da pista de corrida, separadas dos pescoços de seus apaixonados donos.

Afrodite decidiu que era hora de intervir diretamente. Seu instrumento foi um jovem chamado Hipomene, a quem ela equipou com três irresistíveis maçãs douradas. Conforme o par corria, Hipomene deixava cair uma maçã dourada toda vez que ele ouvia Atalanta se aproximando. Atalanta parava toda vez para pegar a maçã, tanto porque ela não conseguia resistir à atração da fruta como porque achava que se equiparava a seu oponente. É bem possível que Afrodite tenha lançado dados viciados em favor do jovem, pois, como será visto, Atalanta foi fortemente atraída para sua presa.

De todo modo, Atalanta foi a segunda a cruzar a linha de chegada. Ela havia perdido a corrida, mas ganhou três maçãs divinas e um esposo bastante agradável.

Desfecho – Infelizmente, Hipomene decidiu agradecer a Zeus por sua vitória, o que irritou Afrodite consideravelmente. Por consequência, ela instigou o jovem casal a um estado de luxúria tão demasiado que eles se atracavam para fazer sexo em todo lugar, ultrajando o templo sagrado de Zeus no processo. Zeus não podia deixar passar tal afronta à sua dignidade e transformou os recém-casados em leão e leoa. Atalanta foi uma vítima inocente em tudo isso, mas é incerto se ela se opôs a ser transformada numa poderosa caçadora que, desde então, vagou com seu parceiro, livre de preocupações, pelos montes selvagens da Arcádia.

ARTE E CULTURA POSTERIORES:
ATALANTA

Atalanta se provou particularmente popular entre os artistas barrocos, incluindo Guido Reni (com o esplêndido *Atalanta e Hipomene*, c. 1612), Charles Le Brun (*Atalanta e Meleagro*, c. 1658) e Rubens (*A caça de Meleagro e Atalanta*, início da década de 1630). *Atalanta* (1703), de Pierre Lepautre, é uma cópia de uma escultura antiga. E ela fez uma aparição na ópera *Serse* (1738), de Handel.

Galeria Nacional de Capodimonte, Nápoles
Atalanta se inclina para pegar as maçãs douradas numa pintura de Reni.

ᗷ7ᗕ

A ERA DE OURO
DA MITOLOGIA

A Era Heroica, provavelmente, atingiu seu clímax na Guerra de Troia (cap. 8), mas os maiores heróis e alguns dos mitos mais ricos e mais bem desenvolvidos são encontrados na geração que precede esse evento obcecante. Tanto gregos quanto romanos reconheciam que Héracles (Hércules para os romanos) era o maior dentre os heróis, mas não fingiam que esse personagem profundamente imperfeito fosse outra coisa que não um bandido valentão, perto de quem era tão seguro estar quanto de nitroglicerina num misturador de coquetel. Teseu não era muito melhor, mas quase todos os mitos dessa era tocam, ao menos tangencialmente, nesses personagens, que deram conta de uma considerável quantia de monstros (humanos ou não) e, assim, tornaram o mundo um lugar mais seguro.

ᗷ HÉRACLES: UM ÁS NA CLAVA ᗕ

As histórias sobre Héracles encheram o mundo
e superaram o rancor de Juno.
OVÍDIO, *METAMORFOSES*, 9.140.

Origens – Héracles era o filho de Zeus e Alcmena, uma bela descendente de Perseu. Zeus apareceu para ela disfarçado de Anfitríon, seu marido; e, para deixar as coisas ainda mais complicadas, Anfitríon, de fato, teve um filho com Alcmena à mesma época, de modo que Héracles nasceu com um irmão gêmeo, Íficles, o que os médicos modernos chamariam de "superfecundação heteropaternal (monoteica)" ("uma gravidez bastante produtiva envolvendo dois pais, um dos quais é um deus").

Alega-se que Héracles nasceu em Tebas, razão pela qual muitos hoplitas tebanos, mais tarde, pintavam a clava de Héracles em seus escudos.

Destino funesto – Héracles era intensa e violentamente odiado por Hera, para dizer o mínimo.

Sob jugo – Tornado louco por Hera, Héracles assassinou os próprios filhos. Para ser purificado, ele tinha que completar doze tarefas para o Rei Euristeu (os famosos Trabalhos de Héracles), outro descendente de Perseu que via Héracles como um rival ao trono. O acordo original era para dez tarefas. Entretanto, como será visto adiante, o astuto Euristeu ampliou as tarefas para doze, exibindo um gênio ardiloso, propenso a manipular a lei contratual de tal modo que teria feito fortuna numa época mais recente.

Antikensammlungen, Basel
Héracles com sua pele de leão e sua clava tradicionais em um vaso grego (c. 480 a.C.).

Auxílio – A orientação de Atena e um arco de Apolo.

Missões suicidas – Os Doze Trabalhos, conforme seguem:

◈ I – O leão de Neméia ◈

Apesar de invulnerável até mesmo às flechas de Apolo, o leão se provou suscetível à abordagem favorita de Héracles: "bata bem forte na cabeça" (muito embora essa cabeça em particular fosse tão sólida que quebrou a clava de Héracles). Ele, então, usou as próprias garras da fera para cortar sua pele quase invulnerável e, assim, equipou a si com uma armadura flexível feita de pele, com a qual passou a se vestir quase sempre dali em diante. Aqueles nascidos do meio para o fim do verão têm razão para se lembrar dessa ocasião, pois Zeus colocou o leão nos céus como a constelação e o signo zodiacal de Leão[4].

II – A Hidra

Toda vez que uma cabeça dessa cria serpentina de Tífon (cf. p. 21) era decepada, duas outras nasciam em seu lugar. De fato, "um problema com cabeça de hidra" é ainda usado em alguns contextos na Modernidade para descrever qualquer questão que se torna pior ao se tentar resolvê-la. Como dificuldades adicionais, o veneno da Hidra tinha poder sobrenatural (e esse veneno derrubará Héracles no fim, como será visto), e Hera contribuiu com um caranguejo gigante para auxiliar a serpente ao picar os pés de Héracles.

Héracles avança em seu combate contra a Hidra de muitas cabeças.

Héracles venceu essa fera com a ajuda de seu sobrinho Iolau. Toda vez que Héracles decepava uma cabeça, Iolau cauterizava o toco para que ela não crescesse de volta. A última cabeça era imortal e, portanto, teve que ser enterrada em grande profundidade sob uma rocha enorme no caminho para Eleunte, onde ela provavelmente ainda vive. Contudo, porque Héracles recebeu ajuda não autorizada de seu sobrinho,

---

4 O autor se refere ao fim do verão no Hemisfério Norte, o que equivale ao fim do inverno no Hemisfério Sul [N.T.].

Euristeu julgou como falta técnica e declarou inválido esse trabalho. Ainda assim, o labor não foi em vão, pois, dali em diante, as flechas de Héracles tinham pontas embebidas com o veneno da Hidra.

O caranguejo foi praticamente uma nota de rodapé na batalha principal. Héracles o pisoteou, despedaçando-o sob suas poderosas sandálias, e o terrível crustáceo assumiu seu lugar com o Leão, tornando-se o signo zodiacal de Câncer. A Hidra também se tornou uma constelação.

ᴥ III – A corça de Cerineia ᴥ

A corça era Taígete (uma das Plêiades – cf. p. 90), que havia sido transformada pela amiga Ártemis numa corça com galhadas de ouro para escapar das intenções excessivamente sexuais de Zeus. Héracles a capturou viva numa rede. Apolo e Ártemis o fizeram libertar sua presa, mas, ainda que por breve momento, Héracles havia capturado a corça e, portanto, concluiu o Trabalho III à risca.

ᴥ IV – O javali de Erimanto ᴥ

Euristeu decidiu fazer com que Héracles seguisse contra suas inclinações naturais e trouxesse uma criatura viva – dessa vez, um enorme javali que estava devastando a Arcádia. Com o útil conselho do centauro Quíron, nosso herói conseguiu capturar o javali, enganando-o ao avançar contra um monte formado pela neve.

Caçada a um javali selvagem, conforme exibido num sarcófago romano.

Interlúdio – Enquanto Euristeu estava pesquisando outras tarefas letais, Héracles pôde tirar umas férias, durante as quais ele se juntou aos argonautas e matou diversos espécimes não naturais de fauna, incluindo a águia que devorava o fígado de Prometeu (ele libertou Prometeu ao mesmo tempo – embora algumas narrativas digam que todo o incidente aconteceu depois).

⊰ V – Os estábulos de Áugias ⊱

Euristeu tentou desmoralizar Héracles com uma tarefa impossível e humilhante – limpar os estábulos de Áugias. Esses estábulos pertenciam ao Rei Áugias de Élis, no Peloponeso, e abrigavam seu enorme rebanho de gado. Com o passar dos anos, o problema crônico da falta de funcionários havia tornado os estábulos um enorme e fedorento complexo de construções semissubmerso em esterco de vaca. O Rei Áugias aceitou com alegria a oferta de Héracles para limpar o local (e, ainda hoje, quando se empreende qualquer trabalho aparentemente impossível, complexo e sujo, diz-se "limpar os estábulos de Áugias") e ofereceu um décimo de seu rebanho se os estábulos estivessem imaculados no fim do dia.

Héracles, de imediato, desviou o curso de um rio próximo para atravessar os estábulos, e isso fez o trabalho por ele. Áugias se recusou a pagar e, como se não bastasse a afronta, houve, ainda, um desaforo, pois Euristeu julgou a tarefa inválida, porque Héracles havia aceitado uma oferta de pagamento.

⊰ VI – As aves do Lago Estínfalo ⊱

Essas criaturas desagradáveis estavam arruinando as colheitas na Arcádia com seus excrementos. Suas penas eram de bronze e tinham as pontas envenenadas; os pássaros as lançavam em qualquer um que se aventurasse nas árvores para tentar matá-las.

Atena e Hefesto trabalharam juntos (como amiúde o faziam); ele para produzir um enorme címbalo de bronze, e ela para aconselhar o herói a golpeá-los contra uma montanha próxima. Quando os pássaros voaram em pânico, Héracles provou que penas de bronze não eram páreo para as flechas de Apolo com pontas embebidas no veneno da Hidra.

Museu Britânico, Londres
Héracles atirando contra os pássaros do Lago Estínfalo.

VII – O touro de Creta

O Rei Minos (cf. p. 44) era amado pelos deuses. Certa vez, provou que não importava o que pedisse, ele o conseguiria, pois, enquanto oferecia sacrifício numa praia, pediu a Poseidon uma vítima adequada. Imediatamente, apareceu um touro vindo do mar, uma fera de beleza tão espetacular que Minos decidiu arriscar a ira de Poseidon e a substituiu por outro touro em sacrifício. Poseidon se juntou a Afrodite para sua retaliação, pois Pasífae, a esposa de Minos, havia sido indolente em seus sacrifícios à deusa.

Dominando o touro cretense.

Afrodite infligiu em Pasífae um desejo não natural pelo touro. Tal desejo Pasífae mitigou com a ajuda de Dédalo, o inventor-residente do palácio, que construiu uma novilha de madeira para a degenerada senhora se esconder dentro. Infelizmente, o caso amoroso resultou numa gravidez, e a criança era uma criatura de temperamento muito difícil, com uma cabeça de touro. Minos chegou rapidamente às conclusões adequadas. Dédalo foi aprisionado, e o touro foi solto para se tornar uma ameaça geral. A criança ficou conhecida como Minotauro (cf. adiante).

Para essa sétima tarefa, Héracles teve que capturar o touro e trazê-lo para Euristeu, o que o herói realizou sem gerar muita algazarra.

VIII – As éguas de Diomedes

A próxima tarefa enviou Héracles à Trácia para coletar alguns cavalos. A Trácia era uma terra distante, selvagem e bárbara, e o proprietário dos cavalos, o Rei Diomedes, era, mesmo para os padrões trácios, um personagem particularmente selvagem e bárbaro, com um exército para ser enfrentado. E os cavalos eram devoradores de homens.

Héracles leva a melhor ao enfrentar uma égua devoradora de homens.

Pelo lado bom, Héracles pôde angariar alguns voluntários para ajudá-lo nessa tarefa. Ele e seu bando derrotaram o exército de Diomedes, e o herói teve uma surpresa agradável ao descobrir que, uma vez que o rei fora entregue aos cavalos para ser devorado, as feras se tornaram notavelmente dóceis.

COMO HÉRACLES SALVOU ALCESTE

Pélias (cf. p. 136) tinha uma filha chamada Alceste, que se casou com o Rei Admeto depois de uma desventura mítica envolvendo Apolo, um leão, um urso, um carro e uma cama cheia de serpentes. O letal desfecho disso tudo deixou Admeto com um pé na cova (cf. a cama cheia de serpentes). Apolo embebedou as terríveis Moiras e as fez prometer que Admeto não precisaria morrer se alguém tomasse seu lugar em Hades. Admeto, rapidamente, descobriu quem os seus verdadeiros amigos eram, mas sua esposa, a fiel Alceste, ofereceu-se para morrer em seu lugar. Felizmente, Héracles tinha feito uma parada por ali em seu caminho para coletar as éguas de Diomedes. Para agradecer a Admeto pela hospitalidade, Héracles esperou perto do túmulo onde Alceste estava para dar seu último suspiro. Quando Tânatos (Morte) chegou para tomar sua vítima, tomou no lugar uma forte pancada hercúlea. A história toda pode ser encontrada na peça *Alceste*, escrita em 438 a.C. pelo ateniense Eurípides. Ela foi regularmente encenada na Antiguidade (e nos milênios seguintes).

IX – O cinturão da rainha das amazonas

Euristeu, em seguida, enviou Héracles para pegar o cinturão da rainha das amazonas, Hipólita, como um presente para sua filha. Héracles deixou o habitual rastro de corpos em seu caminho até Hipólita, incluindo alguns dos filhos do Rei Minos abatidos na Ilha de Paros. Ele estava novamente acompanhado por um bando de companheiros confiáveis (inclusive Teseu – cf. adiante). Na chegada, Héracles descobriu que seu carisma abrasador era suficiente para remover o cinturão de Hipólita. Todavia Hera contou às mulheres guerreiras que Héracles estava raptando sua rainha. O herói reagiu à crise iminente de pronto matando Hipólita (só por precaução) e escapou com o cinturão.

AMAZONAS

As amazonas eram uma raça de mulheres guerreiras. Seu nome vem do grego jônico *a-mazos*, ou "sem um seio", pois diz-se que elas tinham o hábito de arrancar seu seio direito para melhorar o manuseio de suas armas. Amazonas é, atualmente, o nome do mais poderoso sistema fluvial da terra, graças a um explorador que foi hostilizado por algumas mulheres tribais armadas em 1541. Embora ainda seja usada para descrever qualquer mulher com habilidades marciais, "Amazon" ("amazona" em inglês), hoje, se refere, em geral, ao maior vendedor *on-line* de livros do mundo.

◃ X – O gado de Gerioneu ▹

Omitindo uma horda de mitos menores, Héracles foi, basicamente, ao extremo ocidente do mundo, matou Gerioneu, seu pastor e seu cão, e, depois, roubou seu gado. A jornada para o exterior levou Héracles à Líbia e à Península Ibérica. A viagem de volta deixou corpos pela Itália e em torno dos litorais do Mar Negro. Aqui, uma mulher com a parte inferior do corpo em forma de serpente roubou um pouco de seu gado, mas Héracles, ainda assim, dormiu com ela e, como resultado, foi o pai do povo cita.

Ao cruzar do norte da África para a Europa, Héracles notou que o estreito era dominado por uma enorme e instável montanha. Ele consertou isso dividindo a montanha em dois e colocando uma parte em cada lado do estreito. Em época antiga, essas metades de montanhas eram chamadas "Pilares de Héracles" – o pilar europeu é, hoje, chamado Gibraltar.

XI – As maçãs de ouro das hespérides

Elas foram dadas por Gaia a Hera como um presente de casamento (cf. p. 64) e poucas pessoas sabiam onde estavam. Héracles obteve a informação de um deus marinho menor, Nereu (por meio da força, naturalmente). Baseando-se numa dica fornecida por Prometeu (em algumas narrativas, foi nesse momento que ele matou a águia e libertou o titã), Héracles foi ver Atlas, outro titã. As maçãs eram guardadas por uma serpente de cem cabeças e as Hespérides, filhas de Atlas. Em troca de Héracles ter segurado o céu em seu lugar (com ajuda de Atena), Atlas persuadiu suas filhas a entregarem as maçãs (Atlas teve que ser ludibriado a segurar o céu novamente quando voltou). Para tornar o empreendimento todo praticamente infrutífero, as maçãs eram muito sagradas para que o mortal Euristeu as possuísse, então Atena as devolveu a seu lugar.

Durante sua jornada, diz-se que Héracles roubou e sacrificou um touro na Ilha de Rodes. Ele comeu a fera enquanto o dono estava próximo praguejando, impotente, contra ele. A partir de então, sacrifícios a Héracles em Rodes passaram a ser tradicionalmente acompanhados de palavrões similares.

XII – A captura de Cérbero

Héracles teve, então, que jogar "bolinha" com o possante cão de três cabeças que guardava os portais do mundo subterrâneo (cf. p. 42). Auxiliado por Hermes, que, naturalmente, conhecia o caminho, e acompanhado por Atena, Héracles realizou sua desagradável jornada

*Cérbero sendo levado por Héracles para passear,
enquanto divindades menores observam.*

ao reino de Hades, espancando Caronte e o próprio Hades no processo. (Alguns dizem que, ao derrotar Hades, ele assegurou sua imortalidade quando seu tempo prescrito na terra tinha acabado.) Enquanto estava no mundo subterrâneo, Héracles encontrou seu amigo Teseu aprisionado lá e imediatamente o libertou.

No fim, Perséfone deixou Héracles tomar Cérbero emprestado com a condição de que ele capturasse o cão com as próprias mãos e o trouxesse de volta em boas condições. Então Héracles simplesmente apanhou o temível guardião de Hades a caminho da saída, lançou o animal indubitavelmente confuso sobre um dos ombros e se encaminhou de volta para o mundo dos mortais. O caminho até Euristeu foi um tanto mais atulhado de cadáveres do que o habitual, pois Cérbero era uma fera particularmente fatal (p. ex., a planta venenosa acônito brotava onde quer que Cérbero derrubasse sua saliva, e ele salivava muito). Héracles terminou seus trabalhos ao colocar Cérbero de volta ao lugar ao qual pertencia, para o alívio geral de todos.

Desfecho – Livre de sua servidão a Euristeu, Héracles logo se meteu em problemas de novo. Ele matou um jovem, possivelmente porque havia ficado louco novamente (ou pode ter ficado louco como resultado do assassinato). Procurou conselho sobre purificação em Delfos e ameaçou arrasar o lugar quando descobriu que a purificação não aconteceria. Por fim, o próprio Apolo teve que impedir Héracles, e uma briga suja se seguiu, que acabou somente quando Zeus separou os filhos com seu raio.

Héracles foi colocado de volta à posição de servo, dessa vez da Rainha Ônfale, da Lídia. Depois que empregou Héracles para varrer a ralé geral do reino, Ônfale vestiu o herói com um vestido e o colocou para tecer, enquanto ela posava na pele de leão com a clava. Aparentemente, Héracles não guardou rancor desse tratamento, e, segundo algumas narrativas, os dois viraram amantes.

Ao se tornar novamente senhor de si, Héracles passou os anos seguintes se vingando daqueles que dificultaram seus Doze Trabalhos. No curso de uma série de aventuras em torno do Mediterrâneo, ele encontrou tempo para tornar Príamo rei de Troia, participar de uma batalha entre deuses e gigantes e estabelecer os jogos olímpicos.

Museu Britânico, Londres
Dejanira entregando a Héracles a túnica fatal.

Ele também se casou com uma mulher chamada Dejanira, pois havia prometido isso a um amigo que encontrara no mundo subterrâneo, o que provocou sua ruína.

No curso de suas várias aventuras, Héracles havia se esforçado para tornar os centauros praticamente extintos, e um sobrevivente chamado Nesso estava desgostoso, porque Héracles havia exterminado seu clã no caminho para capturar o javali de Erimanto. Nesso tentou raptar Dejanira, mas foi abatido por Héracles com uma flecha embebida em veneno de Hidra. Em seu último suspiro, Nesso disse a Dejanira que um frasco de seu sangue manteria Héracles fiel a ela para sempre.

Alguns anos mais tarde, Dejanira se sentiu ameaçada por uma rival mais jovem, então derramou o conteúdo do frasco sobre a túnica de Héracles. O frasco continha não apenas o sangue de Nesso, mas também o hediondo veneno da Hidra, que fez efeito imediatamente. Héracles rasgou a túnica de seu corpo de uma vez (arrancando grandes nacos de carne putrefata com ela), mas era muito tarde. Calmamente, o herói construiu sua própria pira funerária e morreu. Zeus reivindicou a sombra de seu filho errante e o conduziu ao Olimpo para se juntar aos deuses. Finalmente reconciliado com sua madrasta Hera, Héracles tomou por esposa Hebe, deusa da juventude.

A pira funerária de Héracles foi erigida sobre a passagem nas Termópilas, onde o suposto descendente do herói, Leônidas, mais tarde, combateria os persas com seus trezentos heróis.

⌁ Mortes por Héracles ⌁

Uma lista resumida, em ordem mais ou menos cronológica, daqueles mortos incidentalmente pelo herói no curso de suas aventuras:

Duas serpentes: Enviadas por Hera numa tentativa de exterminar Héracles quando infante. Ele assumiu que eram brinquedos e as estrangulou enquanto brincava.

Lino: Professor de música de Héracles; por punir seu pupilo, foi morto por ele com pancadas na cabeça com sua própria lira.

O leão de Citéron: Por matar essa fera, o rei de Téspis recompensou Héracles com uma noite de paixão na companhia de suas filhas. No que às vezes é chamado de "primeiro trabalho de Héracles", o herói engravidou cada uma das garotas numa única noite. Todas as cinquenta.

Tersímaco, Creôntidas, Deicoonte: Filhos de Héracles mortos por ele num acesso de loucura.

Os filhos de Íficles: Também mortos enquanto Héracles estava enlouquecido (Íficles era o meio-irmão de Héracles – cf. p. 148).

Folo, o centauro: E Quíron, o centauro; Nesso, o centauro; a tribo de centauros de Nesso; e Eurítion o centauro – na verdade, a mitologia não registra um único centauro que tenha sobrevivido a um encontro com Héracles.

Os Gegeneis: Gigantes da Ásia Menor (enquanto Héracles estava na *Argo*).

Calais e *Zetes:* Dois dos argonautas.

Áugias: Aquele dos estábulos. Áugias se safou com sua traição por um tempo, mas Héracles sabia guardar rancor.

Laomedonte, rei de Troia: Héracles matou um monstro para ele. Como o herói teve que lutar para escapar da fera depois de ser engolido por ela, Héracles estava descontente quando Laomedonte se recusou a pagar o preço combinado.

Sarpédon da Trácia: Um filho de Poseidon, morto por ter sido rude com Héracles.

Rei Érix, da Sicília: Um filho de Afrodite, morto por Héracles numa competição de luta.

Alcioneu: Um gigante que arremessou uma pedra contra Héracles tão violentamente que foi morto pelo rebote.

Busíris, rei do Egito: Ele tentou sacrificar Héracles a seus deuses.

Anteu: Um filho de Gaia que ganhava força toda vez que era arremessado no chão. Héracles o conduziu para uma competição de luta, ergueu-o no ar e o matou ali.

Emátion: Um filho de Eos e Titono (cf. p. 41) que tentou impedir Héracles de pegar as maçãs de ouro.

Ífito: Um jovem príncipe assassinado em outro acesso de loucura.

Eurípilo, rei de Cós: Ele e seus homens atacaram Héracles em suas viagens.

Rei Neleu, de Pilos: Por se recusar a purificar Héracles de um assassinato prévio.

Êunomo: Um menino que cuspiu vinho quando servia Héracles à mesa.

Cicno: Um filho degenerado de Ares que estava tentando construir um templo feito de crânios. Héracles forçosamente recusou um convite para contribuir com o seu próprio (cf. p. 94).

Êurito: Um rei que se recusou a entregar a filha como concubina a Héracles.

Licas: Quem deu, sem saber, a túnica envenenada a Héracles.

ARTE E CULTURA POSTERIORES:
HÉRACLES (HÉRCULES)

Héracles inspirou artistas antigos e modernos. *A escolha de Héracles* (c. 1596), de Annibale Carracci, mostra o jovem herói escolhendo entre trabalho e heroísmo ou uma vida fácil de prazeres. Francisco de Zurbaran fornece uma imagem dramática de *Hércules e Cérbero* (c. 1636), enquanto Rubens, em seu *Héracles embebedado* (c. 1611), mostra o herói numa condição menos que virtuosa. François Lemoyne, em *Hércules e Ônfale* (1724), mostra um herói prodigamente decadente gozando bem sua servidão. O escultor Baccio Bandinelli, enquanto isso, produziu *Hércules e Caco* (1524-1534).

Os séculos assistiram à peça *Héracles*, de Eurípides, na antiga Atenas; à ópera *Hércules*, apresentada por Handel no King's Theater, em Londres, em 1745; e ao filme *Hércules*, animação da Disney de 1997 (nesse último, possivelmente por coincidência, alguns detalhes estão corretos).

Os Doze Trabalhos também têm inspirado uma riqueza de obras. Rubens produziu uma pintura memorável de *Hércules estrangulando o leão de Nemeia* (c. 1639); a Hidra se provou irresistível a Gustave Moreau (*Hércules e a Hidra de Lerna*, c. 1876) e a Antonio Pollaiuolo (*Hércules e a Hidra*, c. 1470); Moreau também pintou *Diomedes devorado por seus cavalos* (1865). O artista flamengo do século XVI Frans Floris pintou uma série dos trabalhos, mas ela se perdeu. Hipólita aparece em *Sonho de uma noite de verão*, de Shakespeare, e Angelica Kauffmann pintou *Morte de Alceste* (1790).

⇒ ÉDIPO: A HISTÓRIA DE UM COMPLEXO ⇐

Que eu nunca tivesse derramado
O sangue de meu pai e compartilhado o leito de minha mãe
O filho monstruoso de um ventre maculado
Marido da esposa de meu pai e ainda seu filho
Foi qualquer homem afligido como eu, Édipo?
SÓFOCLES, *ÉDIPO REI*, 1.355ss.

Nenhum herói conseguiu evitar seu destino preestabelecido, mas dificilmente se pode culpar Édipo por tentar, já que ele estava condenado a matar seu pai e desposar sua mãe.

Origens – Édipo era filho do Rei Laio, de Tebas, e da Rainha Jocasta. Quando soube, pelo oráculo em Delfos, que seu filho o mataria, Laio amarrou os pés do infante e os perfurou com uma estaca. Isso inchou os pés do filho torturado ("Édipo" significa "pés inchados"). Insatisfeito com essa medida preventiva, Laio ordenou a um pastor que matasse o menino. Em vez disso, o pastor passou a criança a outro pastor, que ouvira que o rei de Corinto intencionava adotar uma criança para sua esposa infértil, Mérope. Anos mais tarde, Édipo, então um jovem moço, foi a Delfos, onde o oráculo repetiu a profecia de que Édipo mataria seu pai e desposaria sua mãe.

Destino funesto – Determinado a escapar de seu destino, Édipo decidiu não retornar ao que ele pensava ser sua cidade natal de Corinto e, em vez disso, foi para Tebas. No

Cabinet des Médailles, Biblioteca Nacional da França, Paris
Um pastor com o bebê Édipo.

caminho, teve uma discussão com um homem arrogante num carro sobre quem deveria ceder passagem na estrada, e, quando o homem no carro empurrou Édipo e passou por cima de seu pé, o jovem príncipe matou o condutor com um dardo. Ao chegar a Tebas, Édipo encontrou a cidade em turbulência. Uma criatura monstruosa com a cabeça de mulher e o corpo de leão – uma esfinge – estava matando os viajantes fora da cidade. Quando o Rei Laio partiu para perguntar ao oráculo em Delfos o que poderia ser feito, foi morto por uma pessoa ou por pessoas desconhecidas na estrada.

Museu do Vaticano, Cidade do Vaticano
Édipo e a esfinge numa taça do século V a.C.

Cumprindo a missão – Édipo decidiu que compensaria sua ira anterior na estrada destruindo a esfinge. Ele sabia que o monstro propunha aos viajantes um enigma, e apenas os devorava se não conseguissem responder corretamente. Se recebesse uma resposta correta, a criatura estava fadada a se matar, assim o jogo apresentava riscos para ambos os participantes. O enigma era: "Caminha sobre quatro pernas de manhã, duas durante o dia e três no anoitecer. O que é?" Talvez o pé inchado tenha conferido ao herói certa sensibilidade nesse campo, pois retrucou que a resposta ao enigma era o homem, que engatinha quando bebê, depois caminha ereto em duas pernas até necessitar de uma bengala no crepúsculo de seus dias. Derrotada, a esfinge se lançou de um penhasco. Édipo retornou triunfante a Tebas, onde o povo, em deleite, propôs que o jovem príncipe se casasse com a recém-viúva rainha, Jocasta, e assumisse a liderança da cidade.

Desfecho – Tudo caminhou bem por vários anos. Édipo e a Rainha Jocasta tiveram vários filhos, incluindo Antígona, uma filha que foi ela mesma base de vários mitos e de uma peça dramática de Sófocles de Atenas. Então um mensageiro chegou de Corinto anunciando a morte do rei e pedindo a Édipo que assumisse o governo daquela cidade. Édipo explicou o risco de desposar sua mãe, Mérope, e recebeu a notícia nada reconfortante de que ele fora uma criança adotada. A Rainha Jocasta foi a primeira a conectar os pontos e chegar à conclusão correta. Ela se retirou discretamente e se enforcou. Édipo, quase perdendo o juízo por culpa e por sofrimento, cegou a si próprio ao descobrir o corpo dela. Ele se exilou de Tebas e, por fim, morreu na Ática, sob a proteção de Teseu, rei de Atenas à época.

E há, de fato, um motivo na história do Rei Édipo que explica o veredito de sua voz interior. Seu destino nos move apenas porque poderia ter sido o nosso próprio, porque o oráculo nos impôs antes de nosso nascimento a mesma maldição que recaiu sobre ele. É possível que nós todos estejamos destinados a dirigir nossos primeiros impulsos sexuais em direção às nossas mães e nossos primeiros impulsos de ódio e violência contra nossos pais; nossos sonhos nos convencem de que estamos. O Rei Édipo, que matou seu pai Laio e desposou sua mãe Jocasta, não é nada mais nada menos do que a satisfação de um desejo – a satisfação do desejo de nossa infância.

SIGMUND FREUD ELABORA O COMPLEXO DE ÉDIPO
EM *A INTERPRETAÇÃO DOS SONHOS*, 1899.

ARTE E CULTURA POSTERIORES:
ÉDIPO

National Gallery, Londres
Édipo reflete sobre o enigma da esfinge na pintura de Ingres.

Jean-Auguste-Dominique Ingres pintou *Édipo e a esfinge* (1808), ao passo que Gustave Moreau produziu o famoso quadro simbolista *Édipo e a esfinge* (1864). *Oedipus rex*, o oratório-ópera de Stravinski composto em 1927, é baseado na peça de mesmo nome, parte de uma famosa trilogia de Sófocles no século V a.C.

❧ Teseu: o mulherengo ❧

As feras de temperamento mais selvagem se revelaram elas próprias mais brandas e gentis do que você tem se revelado a mim. Nunca poderia eu ter me entregue a mãos mais desleais.
OVÍDIO, *ARIADNE ABANDONADA POR TESEU*, 1SS.

Enquanto os tebanos reivindicavam Héracles como seu, os atenienses consideravam Teseu seu herói mais que especial. Teseu foi o rei que uniu toda a Ática sob um governo, mas a escolha ateniense por ele como seu herói icônico é particularmente adequada porque, como a maioria dos machos atenienses, Teseu era um tanto chauvinista – mesmo para os padrões gregos de então.

Origens – Etra, a mãe de Teseu, deitou-se com Poseidon e Egeu, rei de Atenas, na mesma noite e gerou uma única criança que combinava as qualidades de humano e divino.

Egeu estava retornando a Atenas quando engravidou Etra na pequena cidade de Trezena. Ele permaneceu com a moça tempo suficiente para se certificar de que ela estava grávida e então enterrou sua espada e suas sandálias sob uma enorme pedra, dizendo à garota que, quando seu filho fosse forte o suficiente para levantar a rocha, deveria ir a Atenas. (Como Egeu havia se envolvido com a perigosa Medeia depois de ela ter deixado Jasão – cf. p. 140 –, era um tanto sábio manter Etra e o filho fora de vista até que o menino tivesse crescido.)

Quando recuperou devidamente os itens que estavam sob a rocha, Teseu escolheu tomar a rota por terra até Atenas em vez de uma curta viagem pelo mar através do Golfo Sarônico. Isso não foi uma boa notícia para uma série de malfeitores ao longo da rota, pois o jovem Teseu estava determinado a emular seu herói Héracles e destruir todos os obstáculos em seu caminho. Eles incluíam:

Perifetes: Um filho de Hefesto que carregava um poderoso bastão, com o qual ele golpeava e derrubava os passantes, assim profanando Epidauro, consagrado a Asclépio. Teseu matou o "portador da clava" (como era chamado) e pegou seu bastão, com o qual ele passou a ser identificado desde então.

Sínis: Também chamado "envergador de pinheiro", pois usava sua enorme força para dobrar pinheiros. Depois de prender um viajante a dois pinheiros envergados, ele o soltava fazendo com que voasse. Ele não era a única pessoa capaz de fazer isso, como Teseu demonstrou com o próprio Sínis. Teseu, então, engravidou a filha de Sínis e foi embora.

Teseu e Atena (centro) numa taça ateniense.

A porca de Crômion: Essa criatura destrutiva era filha de Tífon ou (segundo outras narrativas) a outra *persona* de uma rainha ladra. Teseu saiu de seu caminho para caçá-la e matá-la.

Esquíron: Um bandido que encurralava viajantes numa passagem estreita de um penhasco e os forçava a lhe lavarem os pés. Quando terminavam o trabalho, chutava os desafortunados em direção ao mar lá embaixo. Ele próprio foi lançado do penhasco quando confrontou Teseu.

Cércion: Conforme se aproximava de Atenas, Teseu encontrou o rei de Elêusis, que desafiava estrangeiros a uma competição de luta-livre, com a morte do perdedor como prêmio. Cércion perdeu.

Procusto: Por vezes visto como o antepassado do moderno comércio hoteleiro, Procusto tinha uma cama que servia a todos, sem importar se gostavam ou não. Os altos eram amputados para caber e os baixos eram esticados numa superfície até que se ajustassem. Nas palavras do biógrafo de Perseu, Plutarco, o herói fez Procusto "sofrer a justiça de sua própria injustiça" e deitar na cama que ele próprio fez. A expressão "cama de Procusto" sobrevive ainda hoje para descrever uma conformidade forçada a um padrão arbitrário.

Teseu chegou a Atenas precedido pelas histórias de seus feitos. Egeu estava preocupado com uma disputa de poder com os filhos de Palas, seu rival ao trono, mas a rainha-feiticeira Medeia reconheceu o filho de seu marido imediatamente. Ela convenceu Egeu de que o estrangeiro era uma ameaça e que deveria ser convidado para um banquete e ser envenenado. Entretanto, no último momento, Egeu reconheceu a espada que Teseu carregava e derrubou com um golpe o cálice com veneno de suas mãos.

Seguiu-se, então, um acerto de contas com Medeia (que foi exilada) e os filhos de Palas (derrotados em batalha), e também a morte do touro de Maratona. Esse era o antigo namorado de Pasífae, recuperado por Héracles e solto por Euristeu (cf. p. 153). O touro estava tornando a vida insuportável na Planície de Maratona (onde os atenienses, mais tarde, derrotaram memoravelmente os invasores persas) e já havia matado um filho de Minos. Depois de matar o touro, Teseu descobriu que tinha outros negócios a tratar com o filho do touro.

Teseu em ação contra seus vários oponentes.

Isso ocorreu porque os filhos de Minos tinham pouca sorte na Ática. Outro filho de Minos e Pasífae havia sido morto injustamente pelos filhos de Palas, e os deuses ultrajados, assim como o igualmente ultrajado Minos, ameaçaram transformar o território em torno de Atenas numa terra arrasada, a menos que houvesse uma compensação. Assim, todo ano, sete moças e sete moços tinham de ser enviados a Creta em tributo, onde eram sacrificados ao Minotauro, o filho com cabeça de touro de Pasífae.

DÉDALO E ÍCARO

Dédalo, o inventor, foi exilado de Atenas por assassinato (por inveja, matou Perdiz, o inventor da serra). Ele conseguiu chegar até Creta, onde criou a novilha de madeira para Pasífae e o labirinto para Minos, a fim de que contivesse o produto de sua paixão. Aprisionado por Minos, Dédalo escapou ao construir asas para si próprio e seu filho Ícaro. Dédalo alertou o filho para que não voasse muito alto, mas o jovem Ícaro se regozijou na sensação de voar. Ele voou tão alto que o calor do sol derreteu a cera que mantinha as penas nas asas e fez o menino mergulhar em sua morte. (Héracles, a caminho de tomar o gado de Gerioneu, encontrou o corpo e o enterrou.) Dédalo conseguiu chegar à Itália, e o vingativo Minos foi morto quando saiu à procura de seu patife inventor. Espera-se, sinceramente, que o Ícaro moderno não caia na terra – ele é um asteroide com mais de um quilômetro e meio de largura que passa perto da Terra a cada trinta anos, mais ou menos, a uma distância de cerca de seis milhões e meio de quilômetros. Esses asteroides "próximos da Terra" recebem o apelido de "pedras do apocalipse": o Ícaro moderno equivaleria a 33 mil bombas de Hiroshima se atingisse nosso planeta.

ARTE E CULTURA POSTERIORES:

Ícaro se tornou um símbolo do destino daquilo que é exuberante em demasia e, assim, popular entre os artistas. *A queda de Ícaro*, de Carlo Saraceni, pintado em 1600, mostra o momento da queda, ao passo que *O lamento a Ícaro* (c. 1898), de Herbert Draper, mostra o desenlace.

Ariadne traída – Teseu se voluntariou para estar dentre os sete jovens enviados a Creta; contudo, primeiro ofereceu sacrifícios a Apolo e a Afrodite, pedindo seu favorecimento. O que aconteceu em seguida é altamente confuso, porque existem múltiplas versões da história, mas, em todas elas, o sacrifício a Afrodite provocou dividendos substanciais, e Ariadne, uma princesa da realeza de Creta, ficou apaixonada pelo jovem galã Teseu.

Ela deu ao herói uma espada e uma bola de lã. Essa última foi talvez a coisa mais crucial, pois o Labirinto de Dédalo era tão confuso que cedeu seu nome a todos os labirintos desde então. Ninguém antes havia conseguido encontrar a saída, e todos os que o adentraram ou pereceram de medo e fome ou caíram vítimas do monstruoso Minotauro, que perambulava pelos corredores. Teseu matou a fera e seguiu a linha de volta até Ariadne, que o esperava, e o par fugiu de barco para Atenas.

Todavia, em questões de romance, Teseu era o vigarista arquetípico. Ele abandonou Ariadne grávida na Ilha de Naxos, onde ela ganhou o coração do deus Dioniso. Ariadne morreu no parto. Dioniso intencionava desposá-la – o que a levou a ser morta por Ártemis em algumas versões da história –, assim, como alternativa, Dioniso colocou sua guirlanda de casamento no céu como a Corona Borealis. (Ariadne tem tentado recuperar essa guirlanda em sua encarnação moderna como o principal foguete de lançamento do programa espacial europeu.)

ARTE E CULTURA POSTERIORES:

ARIADNE

O destino de Ariadne inspirou pinturas como *Ariadne abandonada por Teseu* (1774), de Angelica Kauffmann, e *Ariadne em Naxos* (1875), de G.F. Watts, bem como óperas de dois grandes compositores: *Arianna in Creta* (1734), de Handel, e *Ariadne auf Naxos* (1912), de Richard Strauss.

A morte de Egeu – O Rei Egeu estava ciente de que Teseu poderia estar se encaminhando para a morte quando zarpou para matar o Minotauro. A embarcação que carregava os jovens atenienses para seu destino costumava ter velas negras, e, para que soubesse tão logo quanto possível sobre o desfecho, Egeu ordenou a Teseu trocar para velas brancas caso estivesse voltando vivo para casa. Teseu se esqueceu, e, quando Egeu viu as agourentas velas negras de seu posto de observação no Cabo Súnio, atirou-se dos desfiladeiros para a morte.

Os atenienses trataram como um tesouro a "embarcação de Teseu", que eles afirmavam estar ainda preservada no período clássico. À época, toda a madeira original havia apodrecido e sido substituída, originando muito debate dentre os filósofos acerca de ela ser ou não a mesma embarcação.

A batalha com as amazonas – um tema comum na arte ateniense.

Antíope assassinada – A história de como Teseu encontrou a amazona Antíope tem muitas versões. Numa das mais comuns, Teseu acompanhava Héracles em sua missão para obter o cinturão de Hipólita, rainha das amazonas (cf. p. 155), e tornou Antíope sua prisioneira. Ele levou Antíope para Atenas e, como ela era uma amazona do alto escalão, o restante da tribo os seguiu para trazê-la de volta. Elas travaram uma batalha campal contra os gregos no meio de Atenas, durante a qual Antíope foi morta. Ela deixou Teseu com um filho chamado Hipólito.

Fedra arruinada – Teseu desposou Fedra, outra filha de Minos, que parece não ter aprendido com a experiência de Ariadne. Apesar dos antecedentes do herói, o par era um casal feliz até Hipólito ter se professado um devoto seguidor de Ártemis e um virgem para toda a vida. Afrodite, de pronto, retomou sua contenda com a família de Minos e infligiu em Fedra o mesmo desejo por seu enteado que sua mãe tivera pelo touro do mar. O resultado foi trágico. Hipólito rejeitou Fedra com horror, e ela se enforcou. Seu bilhete de suicídio afirmava que Hipólito havia tentado violentá-la, e Teseu, indignado, convocou seu pai Poseidon para destruir seu filho supostamente incestuoso, o que ele levou a cabo.

Helena raptada – Sem esposa e filho, Teseu foi persuadido a embarcar numa estúpida aventura com seu amigo, o inconsequente Pirítoo. O par decidiu que suas próximas esposas seriam filhas de Zeus. Primeiro, foram a Esparta e raptaram Helena, que já era famosa por sua beleza conquanto tivesse apenas doze anos. Helena foi mantida segura em Trezena, enquanto a dupla embarcou em uma jornada até a próxima vítima.

Centenas de anos mais tarde, durante a Guerra do Peloponeso, os espartanos, quase anualmente, devastavam as terras da Ática, mas sempre poupavam a área de Deceleia, onde os locais haviam ajudado os espartanos a retomar a princesa.

Perséfone não violentada – Pirítoo havia decidido que ninguém menos que Perséfone seria sua esposa, e Teseu e Pirítoo foram até Hades para obtê-la. O Senhor dos Mortos estava se divertindo sombriamente, pois entendeu de pronto a razão da visita do temerário par. Fingindo recebê-los, ele ofereceu cadeiras que imediatamente esvaziava a memória daqueles que nelas se sentassem. Teseu foi por fim resgatado por seu amigo Héracles, que estava em Hades para tomar Cérbero emprestado (cf. p. 157), mas Pirítoo ainda está sentado em sua cadeira.

Vítimas femininas (continuação de acordo com Plutarco)

> *Há outras histórias sobre "casamentos" de Teseu
> que nem começam de forma honrosa nem terminam bem, mas elas
> não receberam a atenção dos dramaturgos. Por exemplo,
> diz-se que ele raptou Anaxo, uma moça de Trezena,
> e, depois de matar Sínis e Cércion, violentou suas filhas;
> também desposou Peribeia, mãe de Ájax; Ferebeia
> posteriormente; e Íope, a filha de Íficles; e
> era apaixonado por Aigle, filha de Partenopeu...*
> PLUTARCO, *VIDA DE TESEU*, 29.

Desfecho – Teseu retornou para o mundo superior e descobriu que o rapto de Helena havia provocado uma guerra entre Esparta e Atenas, exatamente como, mais tarde, o rapto de Helena provocaria a guerra entre Grécia e Troia. Os atenienses estavam indo muito mal e não estavam nada contentes em ver Teseu, que havia causado todo o problema e depois sumira. Teseu foi exilado na Ilha de Esquiro, onde o rei o viu como uma ameaça a seu reinado e mandou matar o herói.

ARTE E CULTURA POSTERIORES:
TESEU

Teseu, como todos os heróis, provou-se popular com os artistas: Rubens pintou *Batalha das amazonas* (1618); Nicolas Poussin pintou *Teseu encontrando as armas do pai* (1633-1634); e Hippolyte Flandrin pintou *Reconhecimento de Teseu por seu pai* (1832). Escultores produziram alguns Minotauros maravilhosamente arrepiantes: *Teseu combatendo o Minotauro* (1826), de Étienne-Jules Ramey, pode ser visto nos Jardins das Tulherias, em Paris, ao passo que *Teseu e o Minotauro* (1932), de François Sicard, pode ser visto no Hyde Park, em Sydney.

8

A GUERRA DE TROIA

A Guerra de Troia é uma leitura fascinante. Ela tem a icônica Helena de Troia (HOT[5]) seduzida e abduzida, tem gregos *versus* troianos, coragem e brutalidade, heróis e vilões aos montes e o famoso Cavalo de Troia. Por séculos, Troia foi considerada uma cidade lendária, mais imaginária do que a Camelot de Artur. Foi Heinrich Schliemann, no século XIX, quem estabeleceu que Troia era real, com seus vestígios compondo um monte no noroeste da Turquia conhecido como Hissarlik. Escavações mostram que Hissarlik é, na verdade, composta de múltiplas cidades, cada uma construída sobre as ruínas de sua predecessora. Então qual nível seria a Troia de Páris e Heitor? Schliemann, um exímio publicitário de si próprio, tentou, com afinco, provar que deveria ser o nível no qual descobriu seu famoso "Tesouro de Príamo". Inconvenientemente, aconteceu que ele é mais de um milênio anterior às circunstâncias da narrativa. Arqueólogos dizem, atualmente, que o candidato mais provável é o mundanamente intitulado nível VIIa, do qual escavaram evidências de destruição violenta e de um enorme incêndio.

⊰ SETE CONTRA TEBAS ⊱

A luz que havia se espalhado sobre os últimos rebentos da casa
de Édipo arrefeceu, por sua vez, sobre a poeira manchada
de sangue... por causa da insensatez na fala e do delírio no coração.
SÓFOCLES, *ANTÍGONA*, 600ss.

---

5 "HOT" se refere às iniciais de Helen of Troy, que o autor utiliza como um acrônimo constituindo o termo "*hot*" em inglês, aqui empregado como sinônimo para "*sexy*" [N.T.].

Museu Britânico, Londres
A heroína trágica Antígona aguarda o julgamento de Creonte.

A Guerra de Troia teve uma prévia animada na Guerra dos Sete contra Tebas, que foi, por alguns anos, a maior guerra já travada na Península Grega. A origem da guerra está nos filhos de Édipo: Polinices e Etéocles. Com seu incestuoso pai exilado em Colono, próximo a Atenas, os irmãos tentavam com afinco fingir que ele nunca havia existido. Édipo, amargurado, amaldiçoou o par a não habitar nem governar seu antigo reino de Tebas.

Polinices e Etéocles não estavam preparados para aceitar a palavra do pai quanto a isso, por mais enfática que fosse sua expressão. Afinal de contas, Tebas era um dos maiores e mais ricos reinos da Grécia. Assim, ignorando a profecia do pai de que eles estavam fadados a matar um ao outro, os irmãos concordaram em governar o reino por turnos de um ano cada. O mais jovem, Etéocles, tomou o primeiro turno e, imediatamente, se autoproclamou o único rei, afirmando – como muitos outros desde então – que: "Se devemos fazer um mal, fazer o mal para ganhar poder é a melhor razão".

Polinices fugiu para Argos, onde forjou uma coalizão daqueles que desejavam apoiar sua reivindicação a Tebas. A magnífica coalizão dos Sete foi liderada por Adrasto, rei de Argos. Anfiarau, primo de Helena (de Troia), foi um membro relutante da coalizão porque, como adivinho, sabia que seis dos Sete estavam fadados a morrer (Adrasto emergiria como o único sobrevivente, salvo pela velocidade de seu cavalo Árion, um presente de Héracles). No fim, Zeus fez as honras a Anfiarau pessoalmente com um raio. Outro que padeceu por meio de um raio foi o herói Capaneu, atingido enquanto escalava os muros de Tebas, uma vítima de sua própria húbris, pois havia declarado que nem mesmo Zeus poderia pará-lo. Etéoclo, filho de outro rei argivo, morreu na batalha, como seu companheiro herói Hipomedonte. Partenopeu, filho de Atalanta (cf. p. 143) e amigo de um filho de Héracles, foi esmagado por uma pedra lançada dos muros. O poderoso Tideu era filho do rei que havia organizado a caçada de Atalanta ao javali da Caledônia. Quando emboscado, Tideu matou sozinho cinquenta de seus atacantes antes de perecer (provavelmente de exaustão). O filho de Tideu era Diomedes, a quem os aficionados geralmente colocam ombro a ombro com Aquiles e Ájax como um dos maiores guerreiros gregos em Troia.

Por fim, lá estava Polinices. Ele terminou a guerra como seu pai Édipo havia predito, morrendo com seu irmão quando a dupla se confrontou num embate corpo a corpo.

Antígona, a irmã de Polinices, insistiu em enterrar o irmão, muito embora Creonte, que havia assumido como rei de Tebas, houvesse decretado que Polinices deveria ser deixado insepulto. Por seu sofrimento, Antígona também foi enterrada, viva, numa pequena câmara subterrânea. Seu destino depois disso é controverso. (Tanto Sófocles quanto Eurípides escreveram peças sobre esse tópico na Atenas antiga.) Numa versão, ela se suicida imediatamente antes que seu amado Háemon chegue para resgatá-la – um tema que Shakespeare, mais tarde, adaptou para o trágico fim de *Romeu e Julieta*.

⊰ O julgamento de Páris ⊱

Grandes desgraças... foram encetadas quando Hermes...
trouxe ao vale do [Monte] Ida as três deusas,
um amável grupo sob um amável jugo, vestindo elmos para a refrega,
em contenda odiosa pelo prêmio de beleza.
EURÍPIDES, *ANDRÔMACA*, 270ss.

A GUERRA DE TROIA

Do mesmo modo que a guerra dos Sete contra Tebas definiu a cena para a Guerra de Troia entre os gregos, o resultado do casamento de Tétis alinhou as várias facções do Olimpo. Tétis, deve-se lembrar, era a nereida que ajudou Hefesto (cf. p. 96) e Dioniso quando passaram por dificuldades. Tanto Poseidon quanto Zeus contemplaram a ideia de seduzir Tétis (ou violá-la – os dois parecem nunca ter descoberto a diferença). Poseidon parou assim que soube que o filho de Tétis estava fadado a ser melhor que seu pai. O deus do mar tomou cuidado para não passar adiante a profecia a seu irmão, e Tétis estava prestes a ser seduzida por Zeus quando o libidinoso deus foi providencialmente avisado por Prometeu, a quem Héracles havia acabado de libertar.

Foi decidido dar a Tétis um marido relativamente modesto, o ainda muito distinto argonauta e caçador do Javali da Caledônia, Peleu, um amigo do centauro Quíron. Todos gostavam de Tétis, e, como vimos anteriormente, todos os deuses apareceram no casamento, mesmo Éris (Discórdia), que não havia sido convidada (cf. p. 120), a qual respondeu à sua exclusão arremessando, na festa de casamento, uma maçã dourada que tinha a inscrição "para a mais bela". Atena, Hera e Afrodite, imediatamente, reivindicaram a maçã, de modo um tanto indelicado ao negligenciar o fato de que a própria Tétis estava estonteantemente linda e, de todo modo, *era* a noiva.

Zeus delegou a arbitragem a Páris, o filho de Príamo de Troia, que já havia mostrado sua imparcialidade antes. Embora fosse justo, as três deusas não jogaram assim. Cada uma tentou subornar Páris com sua especialidade. Hera ofereceu domínio sobre a Euro-pa e a Ásia, mas Páris a ignorou,

Staatliche Antikensammlungen, Munique
Páris prestes a fazer duas poderosas inimigas com seu julgamento.

assim como ignorou a sugestão de Atena, que lhe daria sabedoria. Afrodite podia convocar o poderoso Eros, que conquista a todos, e ofereceu a Páris o amor da mais bela mulher na terra. Ele aceitou, e, desde então, a ira invejosa de Hera e de Atena condenara Páris, sua família e sua cidade.

ARTE E CULTURA POSTERIORES:
O JULGAMENTO DE PÁRIS

Vasos gregos retratam Páris julgando três deusas vestidas. Mas, na arte pós-clássica, parece que Páris insistiu cuidadosamente numa inspeção completa das competidoras – certamente é o que parece sugerir *O julgamento de Páris* (1645-1646), de Claude Lorrain. Outras versões incluem a de Rubens, *O julgamento de Páris* (c. 1632-1635); a de Joachim Wtewael, *O julgamento de Páris* (1615); e a de Hendrick van Balen, *Julgamento de Páris* (1599). O total somado da roupa das três deusas nessas obras talvez chegue a um pequeno biquíni. Lucas Cranach o Velho gostava tanto do tema que pintou várias versões. *O julgamento de Páris* foi também tornado ópera por John Eccles, em 1701.

⊰ O cerco a Troia ⊱

Quando se trata do rapto de mulheres, dizem que é um vilão quem o pratica, mas um tolo quem faz alarde disso. Homens de senso não se importam com esse tipo de mulher, pois elas nunca seriam raptadas se não o quisessem. [...] E, ainda assim, os gregos, por uma única moça, juntaram uma enorme força armada, invadiram a Ásia e destruíram os domínios de Príamo.
HERÓDOTO, *HISTÓRIA*, 1.4.

A arqueologia moderna, bem como o mito clássico, concorda que Troia tenha sofrido danos severos várias vezes desde a sua fundação, embora os autores antigos tenham sugerido que deuses, monstros e Héracles executaram o trabalho, enquanto os modernos optam por tribos saqueadoras ou exércitos hititas. Contudo, depois de uma renovação considerável – incluindo muros reconstruídos por Apolo e Poseidon –, Troia, à época do rapto de Helena, era um formidável osso duro de roer.

É popular a concepção equivocada de que a *Ilíada*, de Homero, conte a história da Guerra de Troia. Na verdade, ela relata os incidentes que ocorreram durante uma quinzena de dias (incontestavelmente cheia de ação) no nono ano da guerra. O que segue aqui é uma síntese enxuta daquela guerra, seguida de uma descrição mais longa das *dramatis personae*.

1. As preliminares ao cerco

Páris foi a Esparta para coletar o pagamento de Afrodite. Ele não estava nem um pouco preocupado com o fato de que Helena já era casada com o Rei Menelau. Enquanto o rei havia se ausentado em razão de um funeral, Páris simplesmente levantou acampamento com Helena e uma boa parte do tesouro de Menelau, que não aceitou isso nada bem. Por causa da beleza excepcional de Helena, ela havia sido cortejada por todos os grandes homens da Grécia, que haviam jurado se unir para proteger a honra de quem quer que, por fim, ganhasse o coração da moça. Esse juramento (conhecido como Pacto de Tíndaro, em nome do padrasto de Helena), efetivamente, uniu o povo da Grécia numa Organização Nacional do Tratado Aqueu, que entrou em ação a partir da notícia sobre o rapto.

Depois de alguma dificuldade para localizar Troia, os gregos, afinal, enviaram Menelau e o eloquente Odisseu para exigir Helena e reparações. O Rei Príamo de Troia recusou. Os muros da cidade haviam sido construídos por deuses e eram inexpugnáveis. Então ele desafiou os gregos a darem o seu melhor.

2. A chegada dos gregos

Conduzir a frota a Troia não foi fácil, e, quando os gregos finalmente chegaram, descobriram que Troia tinha aliados no continente da Ásia

Menor, incluindo as amazonas. A primeira parte da guerra envolveu cortar os suprimentos dos troianos. Entretanto Troia estava bem abastecida, e os gregos foram forçados a se tornar agricultores parte do tempo para manter seu exército em campo ano após ano.

3. Batalha e profecia

Depois de nove longos anos, as coisas não estavam muito mais perto de uma conclusão. Uma série de heróis havia morrido (como parcialmente descrito em *Ilíada*), e mesmo alguns deuses haviam tido mais do que seu orgulho ferido. Os gregos capturaram um profeta que lhes reportou que nunca poderiam vencer porque os deuses estabeleceram condições para a vitória que os gregos não haviam cumprido. A fim de triunfar, os gregos deveriam:

- fazer com que o filho do (então falecido) Aquiles lutasse em seu lado;
- usar o arco de Héracles;
- obter o Paládio – uma estátua antiga de Atena então em posse dos troianos;
- trazer os restos mortais de Pélops (cf. p. 75) para a guerra.

4. Fim

Os gregos conduziram de forma diligente sua operação de guerra em conformidade com os termos divinos da vitória. Então Odisseu, o único grego a perceber que guerra envolvia mais do que espetar objetos pontudos nas pessoas, concebeu um plano ardiloso para adentrar os muros troianos. Os gregos fingiram recuar, deixando para trás o famoso cavalo de Troia – que era, na verdade, um cavalo grego (embora, notoriamente, *para* os troianos). Essa robusta escultura de madeira (supostamente uma oferenda a Poseidon) foi levada para

D.A.I, Atenas
O cavalo de Troia como retratado há 2.800 anos na Ilha de Míconos.

dentro de Troia, e seu interior estava recheado com um time de elite dos comandos gregos. Eles emergiram do cavalo após anoitecer, e os portões de Troia foram abertos. Em consequência disso, o exército grego compensou dez anos de frustração numa única noite. Poucos troianos escaparam.

⊰ Principais *dramatis personae* da guerra ⊱

Zeus

Zeus estava apaixonado por seu jovem copeiro, Ganimedes, um troiano. Portanto era um pró-troiano neutro na guerra e fez o melhor que pôde para evitar que os deuses interferissem. Nem todo mundo prestou muita atenção a ele.

⊰ Os gregos (também conhecidos como ⊱ helenos, aqueus e dânaos)

Por ordem de prioridade:

⊰ Deuses ⊱

Poseidon

Ele ajudou Apolo a construir os muros de Troia, mas o rei troiano da época se recusou a pagá-lo. Depois disso, Poseidon passou a odiar os troianos e, de todo modo, nunca havia sido muito inclinado a ouvir Zeus. Por um tempo, depois que seu neto foi morto, ele tomou parte pessoalmente na guerra.

Atena

Naturalmente pró-grega por inclinação, ela também tinha, claro, um ressentimento especial contra Páris. Um atributo de Atena pouco lembrado é que, como Atena Prômacos – Atena da linha de combate –, a moça era uma deusa da guerra e uma general e estrategista experimentada. Era generosa com seus conselhos e bateu brutalmente em Ares duas vezes quando ele interferiu pelo lado troiano.

Hera

Pró-gregos, muito pelas mesmas razões que Atena. Ela era também patrona de Argos/Micenas, a nação grega líder na guerra. No canto 4 da *Ilíada*, Zeus a acusa de desejar "adentrar os portões e os longos muros [de Troia] e devorar Príamo cru, também os filhos de Príamo e todos os troianos, e então mitigar sua cólera".

Hefesto

Geralmente seguia Atena, sobretudo por causa de seu amor não correspondido pela deusa donzela e de seu desprezo pela esposa Afrodite, que tomou o lado troiano. Hera era sua mãe, e o deus artesão era um filho leal. Ademais, ele era suscetível ao charme de Tétis.

Tétis

Ela estava determinada a tornar seu filho Aquiles imortal, então o alimentou com ambrosia e, à noite, o colocou nas brasas do fogo para queimar sua mortalidade. Seu ultrajado marido, Peleu, proibiu a prática quando a descobriu. (Já que ele havia perdido cinco outros filhos para o processo de torrefação, alguém pode se perguntar por que levou tanto tempo para a ficha cair.) De mau humor, Tétis abandonou o marido e o filho e retornou para o mar. Mas ela continuou a aconselhar Aquiles enquanto estava combatendo em Troia.

⊰ Reis ⊱

Agamêmnon

"Um coração negro cheio de cólera" é como Homero descreve o Rei Agamêmnon no canto 1 da *Ilíada*. Neto de Pélops e irmão de Menelau, ele desposou Clitemnestra, irmã de Helena. Como rei de Micenas, o principal estado grego da época, ele liderou o esforço de guerra contra Troia. Era sem compaixão, amoral e, em geral, um osso duro de roer, mesmo para os baixos patamares de seus contemporâneos. Seu nome significa "o mais resoluto". (Um navio de guerra com esse nome, *HMS Agamemnon*, teve um papel importante na batalha de Trafalgar em 1805.)

Menelau

Rei de Esparta. Queria sua esposa de volta, mas, acima de tudo, queria a cabeça de Páris num prato.

Odisseu (Ulisses)

Sempre vejo a ti, filho de Laertes, procurando uma oportunidade de obter vantagem sobre teus inimigos.
ATENA PARA ODISSEU, SÓFOCLES, *ÁJAX*, 1-2.

Odisseu era rei de Ítaca e, segundo alguns, um filho daquele ardiloso que viveu duas vezes, Sísifo (cf. p. 133). Ele relutou muito em ir para a guerra e abandonar sua amada Penélope e fingiu demência. Quando o truque foi descoberto por um tal Palamedes, Odisseu se certificou de que Palamedes mais tarde viesse a ter um fim penoso. Ele deixou seu filho sob os cuidados de um grego chamado Mentor, que, desde então, emprestou seu nome a esse papel.

Diomedes

Na guerra, tua proeza é inquestionável, e na assembleia excedes a todos que têm tua idade.
NESTOR PARA DIOMEDES, *ILÍADA*, 9.50.

O herói escolhido pelo mitólogo inteligente, Diomedes, rei de Argos, era um favorito de Atena e feriu tanto Ares como Afrodite quando os dois tentaram interferir fisicamente no combate. Ao encontrar um velho amigo do lado troiano, parou o combate para uma conversa e uma permuta de armas. Ele ajudou Odisseu a roubar o Paládio, que era uma das condições de vitória para os gregos (cf. anteriormente), e foi um dos cinquenta guerreiros que se escondeu dentro do cavalo de madeira.

⊰ Heróis ⊱

Aquiles

*O baluarte dos aqueus, o violento filho
da de cabelos negros, Tétis do mar.*
PÍNDARO 5, PEÃ AOS DÉLFICOS.

Aquiles sentado à vontade; desenho de uma pintura de vaso.

Ao decidir tornar seu filho invulnerável, já que ela não podia torná-lo imortal, Tétis mergulhou o menino no Rio Estige como um presente de despedida. Ela própria não poderia tocar a água, então a parte pela qual segurou o bebê se tornou o ponto fraco de Aquiles – na verdade, seu calcanhar de Aquiles. Uma tentativa de manter Aquiles longe de Troia ao disfarçá-lo de menina falhou, e o herói seguiu se destacando e morreu na guerra. Ele era orgulhoso, cruel e arrogante ao ponto da estupidez. Em resumo, era o arquétipo perfeito dos gregos em Troia.

ARTE E CULTURA POSTERIORES: AQUILES

F.-L. Bénouville pintou *A ira de Aquiles* (1847), e o herói tem, ainda, sua própria ópera, *Achille in Sciro* (1737), de Domenico Sarro.

Ájax

Aquele rebelde de nome agourento.
SÓFOCLES, *ÁJAX*, 1.080.

O neto de Héracles, Ájax (também conhecido como Aias), raramente entreteve um pensamento ruim sobre qualquer pessoa, principalmente porque pensar lhe causava dor e achava melhor passar o tempo batendo nas pessoas. Sua única iniciativa foi planejar um ataque contra seu próprio lado, por rancor de não ter recebido a armadura do falecido Aquiles. Atena o enlouqueceu, e ele atacou um rebanho em lugar dos companheiros (um evento que inspirou a tocante peça *Ájax*, de Sófocles). Mais tarde, ele cometeu suicídio.

Museus do Vaticano, Cidade do Vaticano
Aquiles e Ájax jogando dados, num vaso de Exéquias.

Tersites

Um anti-herói. Ele era de nascimento ignóbil, era calvo e de pernas tortas. Constantemente, zombava das pretensões de seus "superiores" e descrevia corretamente a querela entre Agamêmnon e Aquiles como briguinha infantil. Ele foi golpeado por Odisseu ao sugerir que os gregos deveriam fazer as malas e ir para casa e foi finalmente morto quando debochou de Aquiles algumas vezes além da conta.

Estentor

Um mensageiro grego que tinha a voz de cinquenta homens. Merece menção, pois um alto pronunciamento pode, até mesmo hoje, ser proferido com uma voz de estentor.

⊰ Mulheres ⊱

Em último porque, com exceção de Odisseu, que era dedicado à esposa, essa era a posição em que estavam as mulheres na ordem de consideração dos participantes da guerra.

Ifigênia

A filha mais velha de Agamêmnon. A tropa grega ficou parada em Áulis – em várias versões, por causa da impiedade de Agamêmnon em relação a Ártemis. Descobrindo que sacrificar Ifigênia aceleraria a tropa, o rei mandou buscar sua filha sob o pretexto de que ela se casaria com Aquiles. O sacrifício funcionou, embora, de acordo com algumas versões, Ártemis a tenha substituído por uma corça no último momento e tomou Ifigênia como sua sacerdotisa.

Briseida

Uma órfã tomada por Aquiles (ela se tornou órfã depois que ele matou seus pais e o restante de sua família). Serviu Aquiles como concubina até Agamêmnon ter perdido sua companheira de cama e demandar Briseida como substituta. Aquiles respondeu iniciando uma greve e se recusando a deixar seu alojamento e a se juntar ao combate.

⊰ Os troianos ⊱

O vigor da defesa troiana resultou no dito "trabalhar feito um troiano"; e talvez tenha sido a impenetrabilidade dos muros troianos que inspirou o nome de uma marca de preservativos, pelo qual os troianos são mais bem conhecidos na América do Norte. É, portanto, adequado que a principal defensora divina dos troianos seja Afrodite.

⊰ Deuses ⊱

Afrodite

A deusa do amor estava preparada para defender Páris e, em todo caso, teve uma contenda com Menelau em razão de ele não ter entregado o gado que havia prometido como sacrifício em troca de ter ganhado a mão de Helena.

Ares

Não tão pró-troianos como Afrodite, Ares considerava a guerra inteira um enorme e brilhante presente ofertado para seu prazer pessoal. Entretanto, quando o deus se empolgou e se juntou ao combate, foi ferido por Diomedes (com ajuda de Atena). Ele fugiu imediatamente e, desde então, passou a supervisionar o massacre de uma distância segura.

Apolo

Para completar a facção pró-troiana com o topo do alfabeto, Apolo parece ter apoiado os troianos simplesmente porque a conduta dos gregos ofendia suas civilizadas sensibilidades. Não ajudou muito o fato de que a quase primeira ação de Aquiles ao desembarcar foi matar Tenes, um dos filhos de Apolo. A gota d'água foi quando os gregos raptaram a filha de um de seus sacerdotes, e Apolo respondeu atingindo o acampamento grego inteiro com uma peste.

⁑ A família real troiana ⁑

Príamo

Velho senhor, ouvimos a respeito do longo tempo em que tens sido abençoado... de todas as pessoas, dizem os homens, ninguém excedeu a ti em riqueza ou em filhos.
AQUILES PARA PRÍAMO, *ILÍADA*, CANTO 24.

Príamo implora pelo corpo de Heitor, aqui mostrado jazendo sob o leito de Aquiles.

Como último sobrevivente da casa governante, Príamo se tornou rei de Troia quando Héracles destruiu o lugar e matou o restante de sua família. À época da Guerra de Troia, Príamo era um ancião que havia tido cinquenta filhos com uma série de esposas. Até sua fatídica decisão de enfrentar os gregos, ele havia reinado bem e de modo sábio. Teve a tarefa nada invejável de ir até Aquiles implorar pelo corpo do filho, Heitor, e foi, por seu turno, morto por Neoptólemo, filho de Aquiles.

Heitor

Como nos admiramos diante do nobre Heitor, o lanceiro
e bravo homem de guerra!
HOMERO, *ILÍADA*, CANTO 5.

O maior de todos os guerreiros troianos, Heitor é retratado como honesto, gentil e um guerreiro feroz. Com a ajuda de Apolo, matou Pátroclo, o amigo de Aquiles que vestiu as armas do herói para encorajar os gregos enquanto ele estava amuado. Aquiles ficou muito irritado com isso.

ARTE E CULTURA POSTERIORES:
PRÍAMO

No período pós-clássico, encontramos *Príamo implorando a Aquiles pelo corpo de Heitor* (1775), de Gavin Hamilton; *A morte de Príamo* (1817), de Pierre-Narcisse Guérin; e *Aquiles e Príamo* (1876), de Jules Bastien-Lepage. Príamo teve que esperar por seu reconhecimento na música, mas finalmente ganhou uma ópera em sua homenagem quando Michael Tippett compôs *Rei Príamo* (1962), uma das maiores óperas do fim do século XX. A nora de Príamo, Andrômaca, recebeu de Herbert Windt, em 1932, uma ópera em sua homenagem.

Páris

Tu, velhaco enlouquecido por uma mulher, desejo que nunca tiveste nascido, ou tiveste morrido em celibato... em teu coração não há nem força nem coragem.

HEITOR A PÁRIS, HOMERO, *ILÍADA*, CANTO 3.

O amor de Páris por Helena teria sido mais romântico se o homem não fosse um adúltero – ele era casado com uma ninfa de um rio chamada Enone quando raptou Helena –, um ladrão e um covarde, que inicialmente se encolheu para o fundo da linha de combate quando viu Menelau. Homero se refere a ele como "odiado por todos, como o é a negra noite". Foi ele quem feriu Aquiles ao atingir seu calcanhar com uma flecha envenenada. Quando Páris estava morrendo (atingido, por sua vez, por uma flecha do arco de Héracles), Enone podia tê-lo curado, mas se recusou a fazê-lo.

⊰ HERÓIS ⊱

Eneias

Ele, a quem o povo troiano honrou como a um deus.

HOMERO, *ILÍADA*, 11.58.

Um filho de Afrodite com um mortal, Eneias era de um ramo diferente da realeza troiana. Ele chegou perto de ser morto por Diomedes, mas foi resgatado por Apolo. Poseidon, consciente da importância do herói em eventos futuros, fez o mesmo quando Eneias estava em perigo mortal por parte de Aquiles.

Pentesileia

Nas mulheres também habita o espírito do combate.

SÓFOCLES, *ELECTRA*, 1.242.

Uma filha de Ares, Pentesileia havia sido purificada por Príamo depois de um assassinato e veio para pagar seu débito. Com uma dúzia de amazonas, ela causou estrago entre os gregos até ser morta por Aquiles, que se arrependeu do ato assim que a despiu da armadura e vislumbrou sua beleza.

Mêmnon

Um príncipe da Etiópia e um filho de Eos e Titono (cf. p. 41), Mêmnon tinha as armas forjadas por Hefesto, o que o tornou formidável no campo de batalha até encontrar Aquiles. Nesse momento, Aquiles havia perdido seu próprio armamento para Heitor, quando foi removido do corpo de Pátroclo, então Tétis persuadiu Hefesto a providenciar outro conjunto. Com o armamento divino de ambos os lados, Aquiles venceu o duelo, mas, poucas horas mais tarde, foi atingido no calcanhar por Páris, que usou uma flecha envenenada para dar o golpe final no herói.

⊰ MULHERES ⊱

Helena

Aquela que encontramos tantas vezes e que dispensa apresentações. *Doutor Fausto*, de Christopher Marlowe, encenada desde 1594, mostra que a moça envelheceu bem ao longo dos milênios:

> *Foi esse o rosto que lançou mil naus*
> *E queimou as altas torres de Ílio?*
> *Doce Helena, torna-me mortal com um beijo…*
> *Aqui habitarei, pois o céu está nesses lábios,*
> *E tudo é escória se não é Helena.*

Como alternativa:

> *Mal-engendrada filha de duradoura maldição, da inveja,*
> *do assassinato e da morte, e de todas as pragas da terra!*
> PONTO DE VISTA DE ANDRÔMACA,
> EM *AS TROIANAS*, 769, DE EURÍPIDES.

Hécuba

A mais proeminente das esposas de Príamo, Hécuba deu ao marido dezenove filhos, muitos dos quais – incluindo Heitor – foram ceifados por Aquiles do lado de fora de Troia. Ela sobreviveu ao pavoroso saque da cidade e, enquanto escrava na Grécia, vingou-se de forma terrível do assassino de um de seus filhos favoritos. Foi, então, transformada num cachorro negro com olhos de fogo e se tornou acompanhante da deusa feiticeira Hécate.

Cassandra

A mais bela das filhas de Príamo, Cassandra rejeitou os avanços de Apolo e foi, assim, amaldiçoada a prever o futuro sem nunca ser acreditada. Ela advertiu inutilmente os troianos a não permitirem que Páris fosse para a Grécia, implorou para que não deixassem o cavalo de Troia adentrar a cidade e, quando foi tomada como escrava na casa de Agamêmnon, avisou, sem sucesso, o rei de sua ruína iminente. Por essa razão, qualquer um que profetize infortúnios a um mundo negligente é chamado de Cassandra.

Andrômaca

Esposa de Heitor, ela desgostava de Helena de forma veemente e tinha um pressentimento da ruína iminente de seu marido e seus filhos. Andrômaca sobreviveu à guerra e, depois de um período brutal como concubina do filho de Aquiles, Neoptólemo, casou-se com outro sobrevivente troiano e, com seu filho, mais tarde, fundou a cidade de Pérgamo, na Ásia Menor.

⚜ Principais episódios da *Ilíada*, de Homero ⚜

Embora nada substitua a leitura da obra-prima de Homero (preferivelmente em grego arcaico), uma breve síntese pode servir para oferecer algo do sabor do todo. O que segue é tomado totalmente da *Ilíada* e tenta capturar um pouco do espírito de capa e espada do original.

Criseida é capturada

Canto 1 – 1.1-21 Os aqueus distribuíram devidamente o butim e decidiram que a encantadora Criseida deveria ser a concubina do rei

Martin von Wagner Museum, Würzburg
A trágica despedida de Heitor e Andrômaca.

Agamêmnon. Mas, então, Crises, sacerdote de Apolo, veio até as naus dos aqueus para obter a liberdade de sua filha. Trouxe com ele um grande resgate, mais importante, porém ele carregava em suas mãos o cetro de Apolo, envolto com uma guirlanda de suplicante.

Agamêmnon perde Criseida e toma a concubina de Aquiles quando o herói reclama

1.375ss. Todos os aqueus eram unanimemente a favor de respeitar o sacerdote e aceitar o resgate. Mas não Agamêmnon, que o repeliu ferozmente e o mandou embora. Então o sacerdote, com raiva, voltou-se para Apolo, que o queria muito bem. O deus ouviu sua prece e disparou flechas fatais contra os argivos, e os corpos se amontoavam conforme as flechas voavam em meio à horda de aqueus... E agora os aqueus estão conduzindo a garota num barco de volta para Crises e enviaram oferendas de sacrifício ao deus. Mas os emissários acabaram de levar de minha barraca a filha de Brises, aquela com a qual os aqueus haviam me presenteado [e a estão dando a Agamêmnon para substituir a garota que ele perdera].

A guerra continua sem Aquiles, que faz uma greve depois de perder sua garota, e mesmo os deuses se envolvem – aqui, Atena persegue Ares
Canto 5 – 5.840ss. Palas Atena tomou o chicote e as rédeas [do carro] nas mãos e dirigiu direto até Ares, que estava despindo as armas do

❧ A queda de Troia ☙

Mesmo com ambos – Aquiles e Heitor – mortos, a guerra seguiu inabalável até que Odisseu apareceu com seu plano ardiloso. O cavalo de Troia se incrustou tanto na consciência popular que, hoje, um "Trojan" se refere a um vírus de computador que, como o cavalo de madeira em Troia, adentra a área protegida e a abre para todo o tipo de maldade vinda de fora.

Em Troia, quando os gregos finalmente adentraram os muros, a dimensão da maldade foi profunda. Profunda o suficiente para Schliemann, na era moderna, afirmar que ele havia encontrado evidência da violência do saque grego da cidade. Houve um massacre generalizado da população masculina, o que era de se esperar. Entretanto, muitas mulheres foram mortas também, e não simplesmente no calor do momento.

❧ Os ultrajes dos gregos às leis dos ☙
deuses e dos homens

Polixena, sacrifício humano – A filha mais nova de Príamo foi sacrificada a sangue-frio por Neoptólemo, que cortou sua garganta no túmulo de Aquiles, pois os gregos acreditavam ter sido ela quem revelou o segredo da vulnerabilidade de Aquiles a Páris. Em razão disso, Neoptólemo, por sua vez, foi fadado a morrer. (Pelas mãos de Orestes, filho de Agamêmnon, como, aliás, aconteceu.)

Infanticídio – O filho infante de Heitor foi lançado dos muros de Troia para que a linhagem da família do herói se extinguisse.

Profanação – Em sua fúria, os gregos não pouparam da destruição generalizada nem mesmo os templos dos deuses.

Cassandra violentada – Um dos eventos mais chocantes – de uma perspectiva grega – foi o estupro sacrílego de Cassandra por Ájax (não o herói mencionado anteriormente, mas outro de mesmo nome, por vezes chamado "Ájax menor"). Cassandra havia se refugiado no santuário de Atena e se agarrou à estátua da deusa de maneira tão firme que ela tombou quando Ájax menor a puxou e procedeu ao ato imediatamente.

Considerando que a Deusa Virgem tinha um ponto de vista ferrenho sobre pessoas praticando sexo em seu templo (cf. Medusa), o estupro de uma suplicante nas instalações sob sua proteção dificilmente passaria despercebido. Os gregos, horrorizados, queriam se distanciar do evento matando Ájax menor ali mesmo, mas ele se salvou ao agarrar a mesma estátua que havia profanado.

ARTE E CULTURA POSTERIORES:

A QUEDA DE TROIA

Versões posteriores da queda de Troia incluem *A procissão do cavalo de Troia em Troia* (1773), de Giovanni Domenico Tiepolo; *O sacrifício de Polixena* (c. 1730-1734), de Giambattista Pittoni; e *A queima de Troia*, de Louis de Caullery. Os Jardins das Tulherias, em Paris, abrigam a escultura *Cassandra procurando a proteção de Atena* (1877), de Aimé Millet. Há, também, uma grande escultura do cavalo de Troia em Lake Delton, Wisconsin, nos Estados Unidos. Na ópera, uma das grandes obras do século XIX, *Os troianos* (1858), de Berlioz, conta a história dos últimos dias de Troia e das itinerâncias de Eneias.

ҙ Retribuição divina ҙ

"Um retorno carregado de aflições, isso darei aos aqueus."
ATENA A POSEIDON, EURÍPIDES,
AS TROIANAS, 65.

⚛ 9 ⚛

Viagem para casa

A *Odisseia*, do poeta grego Homero, e a *Eneida*, do poeta romano Virgílio, estão, cronologicamente, ao fim da Era Heroica e focam num herói por vez. Cada uma dessas sagas é um *tour de force* do mundo do mito, bem como um diário de viagem do mundo mágico do Mediterrâneo, estreando criaturas bizarras, povos exóticos e uma paisagem carregada de maravilha e perigo. O que Homero e Virgílio fizeram de modo magnífico este capítulo não tentará imitar. Seu propósito, em vez disso, é oferecer um esquema geral dessas jornadas épicas, para que leitores vagamente familiarizados com incidentes como a terra dos lotófagos ou Eneias e Dido possam conhecer esses episódios em seu contexto geral.

⚛ A Odisseia ⚛

Canta-me, Musa, daquele herói astuto que viajou longe e muito, depois que saqueou a famosa cidade de Troia. Muitas cidades visitou e muitas foram as nações cujos modos e costumes conheceu; ademais, muito sofreu no mar tentando salvar sua própria vida e conduzir seus homens a salvo de volta para casa; mas apesar dos esforços, seus homens não pôde salvar.

HOMERO, *ODISSEIA*, INTRODUÇÃO.

Como ninguém fez mais para causar a queda de Troia do que Odisseu, o esperto herói deveria ter suspeitado que não teria uma tranquila viagem para casa. Hera e Apolo estavam sedentos de vingança, e mesmo Zeus estava incomodado com o que os gregos fizeram a Troia. Tudo isso significava que Atena estava numa situação difícil para manter a integridade física de seu protegido. Sob tais circunstâncias, fazer parte da tripulação dos barcos de Odisseu era essencialmente uma missão suicida, mas, ao menos, os tripulantes poderiam esperar mortes em tons chocantes, extremamente variadas e altamente inusitadas. A história, como contada por Homero, é cheia de volteios, com múltiplos *flashbacks* e digressões. Colocada em ordem cronológica, eis o que sucedeu a Odisseu em seu retorno para casa.

1 *Os cícones*

Acuados estávamos com seu ataque, pois eles
eram tantos quanto folhas, ou flores de verão.
HOMERO, *ODISSEIA*, 9.48.

A primeira parada no caminho para casa foi Ísmaro. Como era perfeitamente comum para os gregos micênicos, os homens de Odisseu atacaram a cidade mais próxima – aquela dos cícones. Eles mataram os homens e o gado e repartiram as mulheres e o tesouro entre si. Odisseu não conseguiu fazer com que seus homens parassem de desfrutar seus espólios antes que o restante da região pegasse em armas e avançasse contra os gregos saqueadores. Os experientes veteranos de Troia deram conta do recado, mas foram forçados a fugir.

2 *Lotófagos*

Quem quer que comesse do lótus doce como o mel…
desejaria apenas permanecer entre os lotófagos,
alimentando-se da flor e esquecendo-se do caminho para casa.
HOMERO, *ODISSEIA*, 9.95.

Pela primeira vez, Zeus mostrou sua reprovação da conduta grosseira dos gregos e atingiu a pequena frota de Odisseu com uma poderosa tempestade que desviou os barcos de seu curso. Com as velas em fiapos e sem água fresca, os marinheiros desembarcaram no norte da África. Lá, eles encontraram os lotófagos, o povo (como o poeta Tennyson expressou de maneira memorável) de "uma terra na qual sempre parecia ser à tarde". Todos os que comeram do lótus se tornaram imediatamente desmotivados, lânguidos e despreocupados dos amigos e de casa. Odisseu, por fim, conseguiu colocar sua tripulação de volta nos barcos ao lhes prover motivação externa por meio da dor física. Chorando amargamente e amarrados a seus remos, os tripulantes zarparam novamente.

3 Polifemo

Um ser monstruoso que apascentava seu rebanho,
mas vivia apartado e sozinho, nunca socializava,
e com seu coração mergulhado na falta de leis.
HOMERO, ODISSEIA, 9.189.

Odisseu e a tripulação cegam o ciclope Polifemo.

Esse ciclope monstruoso era filho de Poseidon e tinha uma natureza violenta, tendo já matado um filho de Pan que era seu rival no amor da ninfa Galateia. Ele foi avisado para tomar cuidado com Odisseu, mas, quando o herói adentrou sua caverna, o perspicaz aventureiro disse que seu nome era ninguém. Quando Polifemo acrescentou a seus crimes assassinato e canibalismo ao devorar a tripulação de Odisseu, o herói embebedou o monstro e perfurou seu único olho com uma estaca. Polifemo gritou para seus colegas ciclopes que "ninguém" o estava machucando. Assim tranquilizados, os outros ciclopes voltaram a dormir. No dia seguinte, os tripulantes sobreviventes escaparam ao se dependurar sob a barriga das ovelhas de Polifemo enquanto elas deixavam a caverna para pastar. Esse ferimento a seu filho colocou Poseidon na lista sempre crescente de inimigos divinos de Odisseu.

4 *Eolo, o senhor dos ventos*

Então chegamos aonde habita Eolo, filho de Hipotas,
caro aos deuses imortais, numa ilha flutuante,
com muros de bronze e íngremes escarpas.

HOMERO, *ODISSEIA*, 10.1.

Há vários personagens chamados Eolo no mito, mas Homero o descreve como o senhor dos ventos, com cujo lar Odisseu e sua frota (agora um tanto reduzida) se depararam. Odisseu mantinha seu charme habitual e gozou da hospitalidade de Eolo por um mês. Eolo, então, acelerou sua partida com o vento do oeste, que soprou Odisseu e seus homens quase de volta a Ítaca. Odisseu ganhara também um enorme saco, bem fechado. Pensando que este continha ouro, os marinheiros o abriram enquanto Odisseu dormia. Na verdade, o saco continha os ventos do leste, do norte e do sul, e com o vento do oeste quase totalmente consumido, os outros ventos sopraram os barcos de volta ao local de onde haviam saído, a ilha de Eolo. Ele se recusou a ajudar uma segunda vez, e os sentimentos de Odisseu em relação à sua tripulação naquele momento devem ter ajudado a aliviar o pesar causado, mais tarde, por suas mortes.

Eolo emprestou seu nome a vários produtos pneumáticos na era moderna, mas é mais famoso pelo "saco de vento"[6], que se personificou e entrou para a política.

5 Os lestrigões

Na água eles espetaram com lanças os homens como se fossem peixes
e os levaram para casa para serem uma repugnante refeição.

HOMERO, *ODISSEIA*, 10.125.

Depois de remar exaustivamente por um tempo, a frota encontrou um porto isolado. Ele acabou sendo uma armadilha na qual gigantes canibais lançavam pedras para estraçalhar os barcos lá embaixo e, então,

---

6 O termo *"windbag"* em inglês, aqui traduzido literalmente como "saco de vento", tem o sentido figurado de indivíduo verborrágico e falastrão. Quanto aos produtos pneumáticos, o autor se refere à marca chinesa de pneus que leva o nome Aeolus [N.T.].

fisgar com arpão e devorar os homens. Apenas seu próprio barco, que o cauteloso Odisseu havia atracado fora do porto, escapou da carnificina.

6 *Circe*

Ela lhes bateu com sua mão e eles adquiriram cabeça,
voz e a forma de eriçados suínos, mas suas mentes
permaneceram inalteradas da mesma forma de antes.
HOMERO, *ODISSEIA*, 10.240.

Circe era uma filha de Hélio, o Sol, e a irmã de Pasífae, a mãe do Minotauro. Era também uma poderosa feiticeira. Ela drogou os homens do herói e os transformou em porcos. (Ou, na opinião da poetisa vitoriana Augusta Davies Webster, Circe removeu o disfarce dos homens.) O próprio Odisseu escapou da transformação porque Hermes, um dos poucos deuses ainda do lado do herói, deu-lhe uma raiz sagrada que neutralizava as poções de Circe. A raiz sagrada era chamada "*moly*" e, provavelmente, é a origem da exclamação moderna "*holy moly!*"[7] Depois disso, Circe estava nas mãos de Odisseu, e ele e sua tripulação reumanizada gozaram de um ano de banquetes e diversões antes de se colocarem no mar novamente.

7 *O mundo subterrâneo*

Como tu, ainda vivo, chegaste ao inferior
nas trevas lúgubres? Árduo é para aqueles
que vivem mirar esses reinos.
HOMERO, *ODISSEIA*, 11.155.

Instruído por Circe, as aventuras involuntárias seguiram para o norte, para a "cidade dos cimérios, envolta em nevoeiro na perpétua bruma". Lá, próximo a uma das entradas do submundo, Odisseu praticou ritos misteriosos que lhe permitiram falar com o Profeta Tirésias. O adivinho apontou que a inimizade de Poseidon era um poderoso desafio a qualquer um que planejasse navegar para casa; ainda assim, navegar

---

7 Expressão usada para manifestar surpresa ou espanto [N.T.].

era preciso a Odisseu, ou pretendentes chegariam para cortejar sua "viúva" Penélope e devorariam todos os seus bens junto com ela.

TIRÉSIAS, HERA E ZEUS

O Profeta Tirésias foi, certa vez, transformado por Hera numa mulher durante dez anos. Restabelecida a masculinidade, pediram-lhe para fornecer evidências numa disputa entre Zeus e Hera sobre qual gênero obtinha mais prazer no sexo. Ele respondeu que eram as mulheres, dez vezes mais. Hera (péssima perdedora, como já vimos) deixou Tirésias cego, mas Zeus lhe deu em troca o dom da profecia e uma longa vida, e, depois da morte, Tirésias foi um favorito de Perséfone no mundo subterrâneo.

---

8 *Sirenas*

*As Sirenas seduzem com sua voz de tom claro,
mas perto delas está um grande monte de ossos de corpos
putrefatos, e em torno dos ossos a pele está ressequida.*
HOMERO, *ODISSEIA*, 12.45.

Museu Britânico, Londres
Uma arruinada sirena em queda, já que sua canção falhou em atrair Odisseu.

Avisado sobre essas criaturas (cf. p. 138) por Circe, Odisseu tapou o ouvido de seus homens com cera e ordenou que o amarrassem ao mastro para que ouvisse a canção delas.

9 *Cila e Caríbdis*

Ela tem doze pés, todos deformados, e seis longos
pescoços, com uma terrível cabeça em cada um,
e, em cada cabeça, três filas de dentes,
grossos e cerrados, e cheios de negra morte.
HOMERO, *ODISSEIA*, 12.45, SOBRE CILA, A ESCOLHA MAIS
ATRAENTE EM COMPARAÇÃO COM CARÍBDIS.

Aqui, Odisseu encarou a inevitável escolha de navegar entre um redemoinho que poderia destruir sua embarcação ou um monstro com múltiplas cabeças devoradoras de homens que certamente mataria seis de seus tripulantes. Odisseu optou por perder mais seis homens de seu bando, que se extinguia rapidamente. (Embora Circe tenha avisado sobre Cila, esqueceu-se de mencionar que ela própria havia criado o monstro transformando uma bela moça, cujo amante ela certa vez desejou.)

10 *O gado do Sol*

Amigos, em nossa nau veloz há carne e bebida;
mantenhamos, portanto, nossas mãos longe das feras
para que não corramos perigo.
Esses são os rebanhos do deus terrível, Hélio.
ODISSEU À SUA TRIPULAÇÃO, HOMERO, *ODISSEIA*, 12.320.

Em seguida, o barco chegou numa ilha com gado gordo e suculento. Em vão, Odisseu avisou seus homens a não tocarem no gado. Mas Zeus manteve o barco preso na ilha por meio de um vento não favorável, e, por fim, a tripulação cedeu à tentação e comeu bife no jantar até o fim de sua estadia. Hélio, o deus sol, ficou ultrajado e ameaçou não brilhar mais sobre a terra, a menos que seu gado morto fosse vingado. Zeus, imediatamente, juntou uma nuvem sobre o barco e o fez em pedacinhos junto com a tripulação.

11 *Calipso*

Odisseu, desafortunado, está longe dos amigos
numa ilha cheia de bosques cercada de água, o umbigo do mar;
Lá habita uma deusa... e com palavras sempre suaves e
lisonjeiras ela o seduz a esquecer-se de Ítaca.
HOMERO, ODISSEIA, 1.44.

O único sobrevivente da catástrofe foi Odisseu. Agarrado ao mastro estilhaçado do barco, ele acabou indo parar numa ilha onde a ninfa Calipso estava aprisionada por ter ajudado seu pai Atlas na guerra entre deuses e titãs. Calipso e Odisseu se davam bem, e o casal teve um filho juntos. Entretanto, Odisseu nunca parou de lamentar por Penélope e Ítaca, e, depois que havia passado sete longos anos na ilha, Atena pediu a Zeus que ordenasse Calipso a permitir que Odisseu fosse embora. Calipso ficou devastada, mas, em eras posteriores, se recuperou o suficiente para emprestar seu nome a um cativante gênero de música popular caribenha e a uma das luas de Saturno.

12 *Nausícaa*

Odisseu estava prestes a entrar na companhia das moças
de belas tranças, embora estivesse nu e todo sujo de salmoura.
Terrível ele lhes parecia e elas fugiram...
mas a filha de Alcínoo ficou e o encarou.
HOMERO, ODISSEIA, 6.127.

Staatliche Antikensammlungen, Munique
Nausícaa encontra Odisseu nu.

VIAGEM PARA CASA

Ao ver Odisseu sobre as águas, Poseidon teve uma satisfação sinistra e, imediatamente, tratou de mudar a situação de "sobre as águas" para "sob as águas". O bote foi destruído por uma tempestade e pelas ondas, e mesmo os melhores esforços de Atena mal foram suficientes para permitir que Odisseu, nu e maltratado, se arrastasse para a terra firme numa praia desconhecida. Ali, de manhã, ele foi acordado pelo som da Princesa Nausícaa e suas criadas brincando. Embora as criadas tenham fugido à vista de Odisseu, a jovem Nausícaa permaneceu firme, e, como ela havia acompanhado as criadas à praia para lavar roupas, vestimentas frescas estavam prontamente disponíveis para o herói. Odisseu recebeu vinho e jantar na corte do pai de Nausícaa, e o viajante os regalou com uma narrativa de suas aventuras (a qual ocupa uma porção significativa da *Odisseia* de Homero). Então o rei deu a Odisseu um barco que o conduziu em segurança para casa.

⊰ ÍTACA ⊱

Lá encontrei Odisseu entre os corpos.
Aqueles que ele havia matado se estiravam a seu redor no
chão duro, amontoados uns sobre os outros; uma visão
animadora que teria aquecido teu coração.
AMA A PENÉLOPE, HOMERO, *ODISSEIA*, 23.45.

Enquanto isso, Penélope, esposa do ausente Odisseu, tinha os seus próprios problemas. Odisseu estava desaparecido, possivelmente abatido por algum deus, o que significava que o palácio ficou tomado de pretendentes à mão de Penélope – e, mais importante, ao reino de Ítaca que a acompanhava.

Apesar dos protestos implacáveis de Telêmaco, filho de Odisseu, os pretendentes abusavam das regras de hospitalidade gregas ao estender sua estadia, com banquetes e caçadas diárias. Penélope permaneceu reclusa, tecendo uma peça de tapeçaria, e disse que escolheria um esposo quando a peça estivesse pronta. Para adiar o terrível momento, ela desfazia o trabalho do dia na noite que seguia.

Odisseu havia aprendido a ser cauteloso depois de ter se aventurado por uma década num cruzeiro de alto risco e não tinha a intenção de anunciar efusivamente seu retorno antes de ter inspecionado a terra. Foi útil que suas experiências tanto na Guerra de Troia quanto em seus desdobramentos o haviam deixado tão desgastado e roto que ninguém, exceto seu fiel cão, o reconheceu. Atena, prestativa, amplificou esses efeitos para fazer Odisseu parecer ainda mais decrépito.

Penélope em seu tear.

Telêmaco havia ido a Esparta procurar notícias de seu pai e se hospedou com Helena e Menelau reunidos e que, aparentemente, estavam vivendo em harmonia. Avisado por Atena a voltar (e evitar uma emboscada realizada pelos pretendentes no caminho), Telêmaco encontrou seu pai e juntou forças com ele. Odisseu chegou à sua própria casa disfarçado de mendigo e lá foi zombado pelos pretendentes. Junto com Telêmaco e Penélope, Odisseu organizou uma competição de arco, no curso da qual Telêmaco escondeu as armas dos pretendentes. A competição foi algo como uma farsa, pois o arco escolhido era o poderoso arco de Odisseu, que nenhum dos competidores conseguia nem mesmo tanger.

Odisseu teve sua vez para a diversão geral, mas ela cessou quando tangeu o arco e atirou uma flecha através do alvo. Ele, então, atirou flechas nos pretendentes até que a munição acabasse. Telêmaco e alguns lavradores se juntaram ao massacre generalizado, o que levou certo tempo, pois havia mais de uma centena de pretendentes para finalizar.

Desfecho – Odisseu e Atena tiveram de se valer de um misto de ameaças e diplomacia para reprimir as famílias ultrajadas daqueles que haviam matado. Penélope reconheceu o marido quando ele descreveu para ela a cama que havia feito, e o casal se instalou na felicidade do lar. Numa narrativa posterior é dito que Odisseu saiu em viagem novamente e pode ter sido morto pelo filho que teve com Circe e que veio procurá-lo.

ARTE E CULTURA POSTERIORES:
ODISSEU (ULISSES)

A Odisseia tem sido ilustrada muitas vezes. Aqui estão, em ordem narrativa, alguns exemplos importantes: *Ulisses na caverna de Polifemo* (c. 1660), de Jacob Jordaens; *Circe oferecendo a taça a Ulisses* (1891), de J.W. Waterhouse;

National Gallery, Londres
Pintoricchio mostra Penélope cercada pelos pretendentes.

Circe transformando os homens de Ulisses em animais (1650), de Giovanni Benedetto Castiglione; *Ulisses e as Sirenas* (1909), de Herbert Draper; *Odisseu e Calipso* (1883), de Arnold Böcklin; *Penélope com os pretendentes* (c. 1509), de Pintoricchio; *O retorno de Ulisses* (1968), de Giorgio de Chirico; *Ulisses e Penélope* (1545), de Francesco Primaticcio. Ulisses ainda vive numa obra de mesmo nome pelo autor James Joyce, escrita entre 1914 e 1921 e publicada em episódios. (A seção sobre Nausícaa levou a um processo por pornografia.) Aqueles que não conhecem o mito de Odisseu acham esse épico da cultura ocidental ainda mais incompreensível do que aqueles que o conhecem.

⇥ A Eneida ⇤

Este homem, na terra e no mar, estava desamparado contra
os maus-tratos dos deuses e a duradoura
e selvagem ira de Juno. Ele sofreu demasiado também na guerra,
até que conseguiu estabelecer uma cidade e trazer
seus deuses para casa no Lácio.
VIRGÍLIO, *ENEIDA*, 1.3-7.

Embora compostas com cerca de mil anos de diferença, a *Odisseia* e a *Eneida* lidam com sujeitos contemporâneos entre si, de modo que Odisseu e Eneias estavam ambos vagando pelo Mediterrâneo ao mesmo tempo – e, de fato, quase se trombaram na Sicília. Ambos os livros cobrem quase uma dezena de episódios. Na *Eneida*, as primeiras seis partes descrevem Eneias vagando e, as outras seis, o sanguinário processo de estabelecer uma nova terra-pátria num país distante. Como a *Odisseia*, a *Eneida* começa no meio da história e usa narrativas em *flashbacks*; assim, a sequência cronológica que segue foi extraída de forma um tanto brutal dos elegantes versos de Virgílio.

1 *A fuga de Troia*

Nenhuma língua pode descrever a carnificina daquela noite e a
orgia da morte. Nenhuma lágrima consegue exprimir a agonia
diante da queda da antiga cidade.
VIRGÍLIO, *ENEIDA*, 2.360.

Quando os gregos penetraram os muros da cidade com o cavalo de madeira, Eneias lutou bravamente até Afrodite (que, a partir de agora, seguindo Virgílio, será referida como Vênus) informar o herói de que ele deveria se concentrar em salvar sua família. Com seu velho pai Anquises sobre seus ombros e seu filho Ascânio pendurado em sua perna, Eneias escapou da cidade em chamas. Reunindo um bando de companheiros exilados, ele construiu uma pequena frota e fugiu do litoral troiano.

Martin von Wagner Museum, Wurtzburgo
Eneias deixa Troia com o pai e o filho.

2 O tour pelo Mediterrâneo

*Assim que pudemos confiar no oceano, lotamos
a praia e lançamos nossas naus nos mares
sorridentes e nos sussurros da brisa.*
VIRGÍLIO, ENEIDA, 3.69.

Primeiro, os troianos planejaram construir sua nova cidade na Trácia. Depois de presságios desfavoráveis, eles foram a Creta. Em seguida, consideraram se estabelecer na região onde, mais tarde, Pérgamo foi fundada, mas (depois de um embate com as Harpias) Eneias teve a revelação de que deveria seguir a oeste, para a Itália. Esgueirando-se pela Península Grega, eles aportaram no lado oeste da Grécia, na cidade de Butroto, que era então governada por outro refugiado troiano, Heleno, que havia desposado Andrômaca depois da morte de Heitor. Heleno alertou os troianos a se desviar de Cila e Caríbdis e, ao fazer isso, conduziu-os à ilha dos ciclopes. Lá, os troianos resgataram um membro da tripulação de Odisseu, abandonado durante a fuga de Polifemo, e partiram para a Sicília, onde Anquises morreu. Antes que os jogos fúnebres fossem celebrados em sua honra, uma tempestade conduziu os barcos à África.

3 *Dido*

Dido é rainha do reino; ela abandonou sua cidade de Tiro,
fugindo de seu irmão; suas desgraças são demasiado longas para récita.
VÊNUS A ENEIAS, VIRGÍLIO, *ENEIDA*, 1.33.

Dido, uma rainha refugiada da Fenícia, estava ocupada construindo a cidade que se tornaria Cartago (embora alguns arqueólogos desmancha-prazeres tenham apontado que o assentamento mais antigo de Cartago parece datar de vários séculos mais tarde). A rainha recebeu os refugiados com hospitalidade, mas se tornou um dano colateral na contínua rixa entre Vênus e Juno (Hera). Juno, uma apoiadora de Dido e Cartago, propôs a Vênus que Eneias e seus troianos deveriam se instalar naquela cidade. Isso, bem sabia Juno, impediria a prevista fundação de Roma e a inevitável queda de Cartago. Dido, enlouquecida de amor, consumou sua paixão por Eneias numa caverna fora da cidade. Mas Mercúrio (Hermes) chegou para lembrar severamente Eneias que seu destino estava na Itália, e Eneias era sempre obediente a seu destino. Dido ficou devastada pela notícia da partida iminente de seu amante, e o episódio culminou com a rainha abandonada acendendo sua própria pira fúnebre e se imolando sobre ela, o tempo todo amaldiçoando Eneias e suas futuras gerações de modo eloquente e imaginativo.

4 *Sicília*

Três vezes te saúdo, ó sagrado pai... Não te foi concedido
estar a meu lado enquanto busco
as fronteiras da Itália e as terras a nós designadas pelo destino.
ORAÇÃO FÚNEBRE DE ENEIAS A ANQUISES,
VIRGÍLIO, *ENEIDA*, 5.80.

Os troianos retornaram à Sicília para celebrar os jogos fúnebres de Aquises. Juno fez outra tentativa de sabotar a fundação de Roma persuadindo as mulheres troianas que deveriam estabelecer seu lar na Sicília a queimar seus barcos para impedir seus homens de partirem. Embora a tentativa tivesse sido frustrada, alguns troianos optaram por permanecer na Sicília, e Eneias se despediu deles antes de zarpar – direto para o olho de uma tempestade que Juno havia preparado para ele. Contudo, não importando o quanto Netuno (Poseidon) desgostasse dos troianos, ele desgostava ainda mais da interferência de outros em seus domínios e, para irritar Juno, conduziu a pequena frota à segurança.

5 *Desembarque*

Escondido na densa sombra das árvores está um ramo, e é dourado, e todas as folhas são douradas, e dourado é o tronco.
VIRGÍLIO, *ENEIDA*, 6.146.

Eneias desembarcou no local em que Dédalo havia construído um memorial para seu filho Ícaro depois do voo (literal) em fuga do Rei Minos (cf. p. 153). Eneias consultou uma sibila – uma profetisa – que lhe disse: "Vejo guerras, hórridas guerras, e o Tibre espumando com tanto sangue". A Eneias foi dito que deveria viajar ao mundo subterrâneo (o que é fácil – na verdade, inevitável) e retornar (o que é muito mais difícil). Para conseguir escapar de lá, ele teria de subornar Proserpina (Perséfone) com um ramo de ouro da floresta.

O Ramo de Ouro, nesse mito, é o título epônimo do histórico estudo sobre o mito, a magia e a religião escrito por Sir James George Frazer no fim do século XIX e início do século XX, e de uma inspiradora pintura de J.M.W. Turner (1834).

6 *O mundo subterrâneo*

Ó Dido, juro que fui forçado a ir embora…
como poderia eu saber que minha partida
causaria a ti pesar tão terrível?
ENEIAS AO ENCONTRAR DIDO NO MUNDO SUBTERRÂNEO,
VIRGÍLIO, *ENEIDA*, 6.460.

Depois de alguma dificuldade com Caronte, Eneias adentrou o mundo dos mortos. Como Odisseu, que também estava visitando o mundo subterrâneo mais ou menos ao mesmo tempo, Eneias viu antigos amigos de

Troia. Ele também encontrou seu pai e teve um encontro embaraçoso com sua antiga amante Dido. Anquises introduziu Eneias à sua descendência romana, inclusive os futuros Rômulo e Júlio César, que estavam, à época, na fila daqueles que aguardavam o renascimento (cf. p. 48).

7 Lácio

Pedimos apenas um lar modesto para nossos deuses,
uma faixa de terra, onde não feriremos ninguém.
OS ANTEPASSADOS DO IMPÉRIO ROMANO SUPLICAM
AO REI LATINO, VIRGÍLIO, *ENEIDA*, 7.227.

Navegando próximo à Ilha de Circe, os troianos alcançaram a boca do Tibre e uma terra governada pelo Rei Latino. Ele tinha uma filha chamada Lavínia, a quem uma profecia havia declarado ser a fonte de uma grande contenda. Latino tinha interesse que Lavínia fosse o problema de outra pessoa e estava tentando casá-la com alguém que não tivesse qualquer relação com seu próprio povo. Até então, Turno, um latino considerado "o Aquiles italiano", era o único candidato à mão dessa ave agourenta, mas Latino era ladino o suficiente para antever os problemas inerentes em dar sua filha, e uma reivindicação legítima ao trono, a um potencial rival. Quando ouviu que os troianos estavam procurando por uma esposa para seu líder, Latino agarrou a chance de despachar seu problemático rebento.

8 Guerra (Parte I)

Contemplem, vós agora tendes vossa contenda,
entrincheirada na segurança dos horrores da guerra.
ALECTO A JUNO, VIRGÍLIO, *ENEIDA*, 7.549.

Juno podia ver o predestinado nascimento de Roma se tornando cada vez mais iminente e intensificou sua oposição. Ela encorajou Turno e Amata, a esposa de Latino, a se oporem ao casamento de Lavínia com Eneias e pôs lenha na fogueira ao trazer Alecto, uma das Fúrias, para causar problema entre os habitantes latinos e os troianos. Por fim, apesar dos protestos implacáveis de Latino, seu povo declarou guerra contra o bando troiano. Diomedes, o herói grego da Guerra de Troia, também havia se estabelecido na Itália. Turno enviou uma mensagem convidando o herói a se juntar para uma segunda partida contra seus velhos inimigos, destacando que, com Lavínia, os troianos estavam de volta ao velho jogo de roubar esposas de outros povos.

9 *Evandro*

Evandro o conduziu ao Capitólio, inculto e tomado de vegetação rasteira, onde agora tudo é dourado.
EVANDRO MOSTRA A ENEIAS O FUTURO LOCAL DE ROMA,
VIRGÍLIO, *ENEIDA*, 8.350.

Eneias se voltou para Evandro, rei dos árcades. Evandro era um filho de Mercúrio (Hermes), um dos principais patronos dos fundadores de Roma. Ademais, ambos – Eneias e Evandro – podiam traçar sua ascendência a Atlas, tornando-os parentes distantes. Por outro lado, metade dos heróis da época também podia reivindicar Atlas como um ancestral, então Eneias estava dependendo, principalmente, do fato de que Evandro e Latino eram tradicionalmente inimigos. Evandro insistiu que Eneias trouxesse os etruscos para sua coalizão, e Vênus interveio para dar a Eneias um conjunto de armas forjadas para ele por seu esposo Vulcano (Hefesto).

Enquanto Vênus estava equipando Eneias, Juno enviou Íris (uma enviada mais antitroiana do que Mercúrio era solidamente pró-Roma) a Turno. Ela o instou a atacar o acampamento troiano enquanto Eneias estava ausente. Juntou-se à coalizão antitroiana a rainha e guerreira no estilo amazona Camila.

10 *Guerra (Parte II)*

Troianos, não tendes vergonha de estardes mais uma vez sob cerco, acovardando-vos diante da morte atrás dos muros?
VIRGÍLIO, *ENEIDA*, 9.598.

VIAGEM PARA CASA

Quando o ataque ao acampamento troiano foi rechaçado (dez anos de prática tornaram os troianos muito bons em defender fortificações), Turno tentou atear fogo na frota troiana e, assim, incorreu na ira de Reia, pois a tropa havia sido construída com madeira de seu bosque sagrado. O ataque ao acampamento se deparou com um intrépido contra-ataque troiano, e, embora Turno tenha combatido feito um demônio, foi incapaz de penetrar as defesas. Ascânio lutou bem, mas Apolo, preocupado com o futuro da raça romana, aconselhou o filho de Eneias a recuar do combate. De volta ao Olimpo, Júpiter teve que lidar com os pedidos apaixonados de ambas, Vênus e Juno. Ele optou por permanecer completamente fora da briga e deixou os eventos tomarem seu curso.

O caráter do cerco mudou quando Eneias chegou com os reforços etruscos e se tornou uma batalha verdadeiramente homérica, com encontros heroicos e baixas em massa de ambos os lados. Numa repetição da morte de Pátroclo, o amigo de Aquiles, por Heitor, Turno matou Palas, o amigo de Eneias e filho de Evandro. Para defender Turno da inevitável ira de Eneias, Juno o atraiu para fora do campo de batalha, mas o desaparecimento de seu líder lançou os latinos na desordem.

11 *Negociações*

Vós nunca me colocareis em tal guerra...
Juntai vossos exércitos num tratado
e aceitai quaisquer que sejam os termos que puderdes,
mas a todo custo evitai um embate de armas.
CONSELHO DE DIOMEDES AOS LATINOS,
VIRGÍLIO, *ENEIDA*, 11.260SS.

Eneias cremou Palas com honras e ofereceu termos aos latinos. Diomedes, enquanto isso, havia enviado mensageiros dizendo que não apreciara sua última guerra com os troianos e certamente não queria outra. Turno retornou e reagrupou a frota, e as hostilidades recomeçaram.

12 *Guerra (Parte III)*

Esse é o meu destino – venceste.
Desfruta do que a fortuna te reservou.
TURNO A ENEIAS, VIRGÍLIO, *ENEIDA*, 12.930SS.

A Rainha Camila, então, lançou-se ensandecida contra as forças troianas, apoiada por Diana (Ártemis), sua protetora. Após a morte de Camila, contudo, os latinos recuaram, e a luta continuou até que, como num último lance de dados, Turno desafiou Eneias a resolver a questão homem a homem. Infelizmente para Turno, nesse momento, Juno e Júpiter haviam feito um pacto. O projeto romano iria adiante, e Juno cessaria as ameaças aos troianos. Mas ela demandou que o povo de Eneias fosse amigável aos latinos e tomasse seu nome. O acordo foi selado, e esse foi o destino de Turno. Com sua morte, termina o épico.

◈ O FIM ◈

Os Heráclidas

Filhos de Héracles (Hércules), eles eram um grupo tão numeroso que constituíram uma raça em separado. Expulsos de sua terra natal, foram informados pelo oráculo de Delfos que deveriam esperar "até a terceira colheita" antes de retornarem. Essa "terceira colheita" era a terceira geração do clã, que varreu Hélade com fogo e espada e dividiu os reinos da Grécia entre eles.

O episódio mitológico do retorno dos filhos de Héracles tem sido associado, por vezes, à chamada "invasão dória", cuja historicidade é muito discutida. Segundo alguns, foi a chegada dos invasores dórios a partir do norte que colocou um fim à civilização micênica. A Grécia submergiu numa era obscura, e a civilização que emergiu séculos mais tarde apenas confundiu as memórias da era precedente. Foram essas memórias que eles reuniram em mitos.

ARTE E CULTURA POSTERIORES:
ENEIAS

Dido e Eneias, de Purcell, apresentada pela primeira vez em 1689, é uma das maiores óperas britânicas. Como pode ser observado com base na lista seguinte, a Era das Grandes Descobertas evocou memórias das antigas viagens de Eneias: *A morte de Dido* (início do século XVII), de Andrea Sacchi; *Eneias, Anquises e Ascânio fugindo de Troia* (década de 1630), de Mattia Preti; *A chegada de Eneias a Palântio* (1675) e *Eneias e Dido em Cartago* (1676), de Claude Lorrain; *Eneias e seus companheiros combatendo as Harpias* (1646-1647), de François Perrier; *Eneias e Turno* (início do século XVII), de Luca Giordano; *Eneias apresentando Cupido vestido como Ascânio a Dido* (1757), de Giovanni Battista Tieplo; e *Dido construindo Cartago* (1815), de J.M.W. Turner.

Academia Real Inglesa, Londres
Claude Lorrain mostra Eneias desembarcando na Itália.

A fundação de Roma por Rômulo e Remo

Na Itália, os filhos de Eneias e Lavínia se estabeleceram numa cidade chamada Alba Longa. Entretanto, muitos historiadores consideram que a cidade era um posto onde os ex-troianos puderam permanecer até a fundação de Roma – que os romanos tinham muita certeza de ter acontecido na data exata três séculos depois da queda de Troia. Há um enorme debate entre os historiadores quanto à realidade do mito de fundação de Roma.

Em sua forma mais mítica, a lenda de fundação de Roma afirma que a filha de um rei deposto, uma Virgem Vestal, foi violentamente seduzida por Marte e, depois, deu à luz os gêmeos Rômulo e Remo. Os infantes foram lançados ao Rio Tibre num cesto e encontrados às margens do futuro local de Roma por uma loba. A loba amamentou os gêmeos até que foram resgatados e criados pelo pastor Fáustulo.

Os romanos mais pragmáticos tinham problemas com isso, e há uma lenda paralela que afirma que, na verdade, "Marte" era o rei da época, o qual violentou a filha do rival vestindo um elmo do anonimato. Quando a opinião popular impediu a espoliada Vestal ou seus filhos de serem executados, a dupla foi entregue a um pastor e foi criada por sua esposa prostituta (*lupa* significava tanto "loba" quanto "prostituta" em latim).

Em ambas as versões da história, Rômulo e Remo perceberam suas verdadeiras origens quando cresceram e reuniram os jovens locais num pequeno exército que depôs o falso rei e restaurou seu avô ao trono de Alba Longa. Eles, então, reuniram os jovens e saíram para fundar Roma.

A maior parte dos historiadores repudia mesmo a versão mais sordidamente realista da lenda como total invenção, mas alguns outros apontam para a grande evidência arqueológica que apoia os elementos essenciais da narrativa. Se for verdade, certamente não há divisão clara, mas pode bem ser possível que a fundação de Roma na manhã de 21 de abril de 753 a.C. marque o exato momento em que a mitologia acaba e a história começa.

⊰ Leituras adicionais ⊱

É fácil encontrar edições dos grandes épicos do mito. A *Ilíada* e a *Odisseia* podem ser encontradas ambas em edições comuns – por exemplo, *The Iliad* (Penguin, 2003), traduzida por E.V. Rieu e revisada por Peter Jones, e *The Odyssey* (Penguin, 2006), traduzida por Robert Fagles e revisada por Bernard Knox[8].

Para aqueles que querem lê-los numa forma próxima da original (e com a versão em grego na página espelhada), devem procurar pelas versões da Loeb, *The Odyssey*, Loeb Classical Library 104 e 105 (Harvard University Press, 1919), traduzida por A.T. Murray e revisada por George E. Dimcock, e *The Iliad*, Loeb Classical Library 170 e 171 (Harvard University Press, 1924), traduzida por A.T. Murray e revisada por William Wyatt[9].

Também é possível encontrar livros fora de catálogo com uma busca na internet. Outros livros lidam com partes mais raras da grande narrativa da mitologia, como *Theogony and Works and Days*, de Hesíodo (Oxford University Press, 1999), traduzidos por M.L. West. (Essa edição contém notas e explicações úteis para o não classicista.)[10]

Diz muito sobre a concepção moderna equivocada da mitologia o fato de que a maioria dos livros que recontam os mitos antigos seja escrita para crianças, mas adultos que queiram uma versão acessível dessas histórias podem gostar de *Myths of the Ancient Greeks*, editado por Richard P. Martin (New American Library, 2003) ou de *The Greek Myths*, de Robert Graves (Penguin, 1990)[11].

---

8 No Brasil, a editora Companhia das Letras lançou como edição Penguin a tradução em verso tanto da *Ilíada* quanto da *Odisseia* para o português de Portugal, realizada por Frederico Lourenço. Dentre as traduções em verso de ambas as obras para o português brasileiro, sugerem-se as de Christian Werner, publicadas pela Ubu Editora [N.T.].

9 No mercado editorial brasileiro, as versões em grego na página espelhada podem ser encontradas nas traduções em verso da *Ilíada* e da *Odisseia* de Trajano Vieira, publicadas pela Editora 34 [N.T.].

10 As obras *Teogonia* e *Trabalhos e dias*, de Hesíodo, contam com traduções de Christian Werner, publicadas pela Editora Hedra. *Teogonia* também foi traduzida por J.A.A. Torrano e publicada pela Editora Iluminuras, ao passo que *Os trabalhos e os dias* também foi traduzida por Alessandro Rolim de Moura e publicada pela Editora Segesta [N.T.].

11 A obra de Richard P. Martin ainda não tem uma tradução disponível no mercado editorial brasileiro. Já a obra de Robert Graves se encontra traduzida sob o título de *Os mitos gregos*, publicada em dois volumes pela Nova Fronteira [N.T.].

✒ Outras discussões mais gerais podem ser ✑ encontradas em:

BURN, L. *Greek Myths*. British Museum Press, 1990[12].
BUXTON, R. *The Complete World of Greek Mythology*. Thames & Hudson, 2004[13].

CARTLEDGE, P. (ed.). *The Cambridge Illustrated History of Ancient Greece*. Cambridge University Press, 2002[14].
DAY, M. *100 Characters from Classical Mythology*. Barrons & A. & C. Black, 2007.
GARDNER, J.F. *The Roman Myths*. British Museum Press, 1993[15].
HUGHES, B. *Helen of Troy*. Cape & Knopf, 2005[16].
MORFORD, M.P.O.; LENARDON, R.J. *Classical Mythology*. 8. ed. Oxford University Press, 2007.

E o indispensável:
SMITH, W. *Dictionary of Greek and Roman Biography and Mythology*. Londres, 1894[17].

---

12 A tradução dessa obra para o português, sob o título *Mitos gregos – O passado lendário*, publicada pela Editora Moraes, encontra-se, atualmente, fora de catálogo [N.T.].
13 A tradução dessa obra para o português encontra-se, atualmente, publicada pela Editora Vozes, sob o título *O mundo completo da mitologia grega* [N.T.].
14 Sua tradução para o português foi publicada sob o título *História ilustrada da Grécia antiga* pela Ediouro [N.T.].
15 Obra traduzida para o português sob o título de *Mitos romanos – O passado lendário*, publicada pela Editora Centauro e, atualmente, fora de catálogo [N.T.].
16 Obra que se encontra traduzida para o português sob o título *Helena de Troia: deusa, princesa e prostituta*, publicada pela Editora Record [N.T.].
17 Embora tal dicionário não tenha uma tradução disponível no mercado editorial brasileiro, pode-se sugerir, em seu lugar, o *Dicionário da mitologia grega e romana*, de Pierre Grimal, publicado pela Bertrand Brasil. Há, também, a obra *Mitologia grega*, do brasileiro Junito de Souza Brandão, organizada de forma temática e com viés psicanalítico, em três volumes, publicada pela Editora Vozes [N.T.].

꣺ ÍNDICE ꣺

Números de página em *itálico* se referem a ilustrações.

Acrísio 128
Áction 89, *89*, 91, *91*
Admeto 155
Adônis 54, 55, 56
Adrasto 176
Aergia 10, 12
Afrodite/Vênus 10, 15, *15*, 16, 20, 51, 54-56, *55*, 78, 92, 94, 95, 97, 98, 99, 101, 110, 115, 120, 142, 144, 146, 153, 154, 161, 171, 173, 178-179, 180, 183, 184, 187, 190, 198, 199, 211, 213, 216, 217
Afrodite Porné 55
Agamêmnon 37, 38, 75, 90, 183, 186, 187, 192-194, 196, 198, 199
Aglaia (cárite) 95, 98, 115
Aigle 174
Ájax 174, 177, 184, 186, *186*
Ájax menor 196-197, 198
Alceste 155, 162
Alcínoo 207
Alcioneu 161
Alcmena 58, 61, 130, 148
Alecto 111, 215
Álope 66
Amalteia 18, *18*, 19
Amata 215
Amazonas 133, 156, 172, *172*, 174, 181, 191
Amimone 66, 68
Anaxo 130, 174
Andrômaca 177, 189, 191, 192, *193*, 212
Andrômeda 130, 132, *132*
Anfiarau 176, 177
Anfitríon 130, 148
Anfitrite 66, 67, 69
Angelia 101
Anquises 54, 56, 211, 212, 213, 215, 219
Anteros 11
Anteu 161
Antígona 165, 175, *176*, 177
Antíope 172
Apolo/Febo 32, 34, 45, 58, 62, *62*, 82-86, *82*, 88, *88*, 91, 95,

100, 101, 110, 116, 117, 149, 151, 152, 155, 158, 171, 180, 182, 188, 189, 190, 192, 193, 194, 198, 200, 217
Aqueronte, Rio 42, 70
Aqueus 35
Aquiles 16, 45, 96, *96*, 125, 144, 177, 181, 183, 185-196, *185*, *186*, *188*, 215, 217
Aracne 80, 81
Ares/Marte 31, 54, 55, 56, 58, 62, 63, 65, 81, *81*, 92-95, 97, 98, 119, 123, 161, 182, 184, 188, 191, 193, 194, 199, 220
Marte Vingador 95
O planeta 55, 95
Argo, a 137, 139, 140, 144, 160
Argonautas 115, 127, 137-139, 144, 152, 160
Argos 36, 102, 102
Ariadne 103, 107, 108, 166, 171, 173
Áries 137
Árion 66, 72, 177
Ártemis/Diana 58, 62, *62*, 83, 86, 87-91, *87*, 88, *91*, 144, 151, 171, 173, 187, 218
Ártemis Délia 91
Ascânio 211, 217, 219
Asclépio 82, 85, 101, 115-116, *116*, 167
Atalanta 143-147, *147*, 177
Atena/Minerva 29, 46, 51, 58, 67, 68, 77-81, *78*, 79, *81*, 84, 93, *93*, 94, 95, 96, 97, 103, 116, 120, *128*, 129, 130, 134, 137, 149, 152, 157, *168*, 178, 179, 181, 182-183, 184, 186, 188, 193-194, 197-198, 199, 200, 207, 209
Atena Ergane 77
Atena Nike 80
Atena Palas 80, 81, 193
Atena Políade 78
Atena Prômacos 80, 182
Átide 95
Atlas 20, 27, 34, 35, 38, *38*, 157, 207, 216
Atreu 75
Átropos 40, 145
Áugias 152, 160

estábulos de Áugias 152
Autólico 99, 102
Aventino 17

Baco, *cf.* Dioniso
Belero 133
Belerofonte 133-135
Béroe 54, 55
Beryut 55
Beta Per (a estrela) 130
Boôtes 72, 74
Briseida 187
Brises 193
Busíris 161

Caco 162
Cadmo 93, *93*, 94, 103, 136
caduceu, o 99, 101
Caelus 12
Calais 160
Caledônia, caçada ao javali da 115, 144, 177, 178
Calíope 45, 117
cf. tb. Musas
Calipso 207, 210
Calisto 90
Camila 216, 218
Campos Elísios/Ilha dos Bem-aventurados 44
Câncer (constelação) 151
Caos 7, 9-11, 13
Capaneu 177
Caríbdis 206, 212
Cárites/Graças 61, 98, 115
Caronte 42, 43, *43*, 45, 158, 214
Cassandra 85, 192, 196-197, 198
Cassiopeia 130
Castor, *cf.* Dióscuros
cavalo de Troia 37, 181-182, *181*, 192, 196, 197
Cênis 66, 68, 124
Centauri Alpha 125
Centauros 121, 123-125, *124*, *125*, 136, 144, 159, 160, 178
cf. tb. Quíron
Centaurus (constelação) 125
Cérbero 42, 45, *46*, 162, 173
captura de 157-158, *157*
Cércion 168, 174
Ceres, *cf.* Deméter
Cetó 23
Ciclopes 10, 14, 21, 67, 89, 202, *202*, 212

Cicno 92, 94, 161
Cícones 201
Cila 206, 212
Cimérios 204
Circe 139, 204, 206, 209, 210, 215
Cirene 85
Citéron, leão de 160
Cízico 137
Climene 38
Clio 117
cf. tb. Musas
Clitemnestra 183, 198, 199
Cloto 40, 145
Corça de Cerineia 151
Corona Borealis 171
Corônis 82, 85, 116
Creonte *176*, 177
Creôntidas 160
Creso 113
Creusa 34
Crisaor 134
Criseida 192-193
Crises 193
Crono/Saturno 10, 14, 17, *17*, 18, *19*, 20, 26, 57, 58, 60, 63, 66, 67, 70, 71, 72, 73, 110, 125, 194
Croto 122
Cupido, *cf.* Eros

Dafne 82, 84, 86
Dânae 58, 128, 130, 131
Dânao 37, 128
Dardano 38
Dédalo 154, 170, 171, 214
Deicoonte 160
Deimos 54, 55, 92
Dejanira 130, 145, 159, *159*
Deméter/Ceres 10, 50, 58, 62, 66, 69, 70-76, *73*, 100, 118
Deucalião 32, 33, 34
Diana, *cf.* Ártemis
Dicte, Monte 18
Dido 200, 213, 214, 215, 219
Diomedes (filho de Ares) 92
Diomedes (guerreiro) 145, 177, 184, 188, 190, 194, 199, 216, 217
Diomedes, Rei 154
éguas de 154, *154*, 155, 162
Dione 38
Dioniso 24, *52*, 53, 57, 58, 97, 103-108, *103*, *104*, *106*, *108*, 121, 122, 171, 178

Dióscuros 58, 114,
115, 137
   Castor 114, 115
   Gêmeos 115
   Pólux/Polideuces 61,
   114, 115
Diras, *cf.* Fúrias
Discórdia, *cf.* Éris
Doro 34
Dríade 23
Dríope 99, 110

Eco 65, 112
Édipo 6, 163-166,
   163, *164*, *166*, 175,
   176, 177
Eetes 136, 139
Egeu 167, 168-169, 172
Égide, a 80, 130
Egisto 198, *198*, 199
Egito 36, 37
Electra (irmã de
   Orestes) 199
Electra (plêiade) 38, 90
Eléctrion 130
Emátion 161
Eneias 38, 54, 56, 66,
   138, 190, 197, 199,
   200, 211-220, *212*,
   219
Enone 190
Eolo 35, 203
Eos 14, 41, 92, 94,
   161, 191
Erato 117
   cf. tb. Musas
Érebo 10, 12, 42
Erictônio 95
Erínias, *cf.* Fúrias
Éris/Discórdia 16, 49,
   119-120, 178
Érix 161
Eros/Cupido 10, 11, *11*,
   12, 15, 56, 84, 85,
   124, 142-143, 179, 219
esfinge 48, 164-165,
   164, 166, *166*
Esquíron 168
Estentor 186
Estige, Rio 42, 112, 185
Etéocles 176
Etéoclo 177
Éter 10, 12
Etra 66, 167
Eufrosine 115
Êunomo 161
Euríbia 23
Eurídice 45, 47, *47*, 130
Eurimedonte, o
   argonauta 103, 107
Eurínome 61
Eurípilo 161
Euristeu 130, 149-158,
   169
Eurítion, o centauro
   160
Êurito 161

Europa 36, 58, 90
Euterpe 117
   cf. tb. Musas
Evandro 99, 216, 217

Faunos 19, 24, 56,
   121, 122
   cf. tb. Sátiros
Fáustulo 220
Fedra 173
Fidípides 110
Fíneas 137, 138
Fobos 54, 55, 92
Folo 125, 160
Frixo 136, 137
Fortuna, *cf.* Nêmesis
Fúrias/Diras/Erínias
   70, 110-111, *111*, 112,
   118, 199, 215

Gaia/Ge 10, 12-17, 18,
   20, 21, 23, 33, 44, 64,
   71, 72, 157, 161
Galateia 202
Gamélion 64
Ganimedes 58, 90, 182
Gegeneis 160
Geras 10, 16
Gerioneu 134, 156, 170
   gado de 156
Gigantes 7, 10, 12,
   20, *20*, 21, 38, 44,
   158, 160
Glauce 140, *140*
Glauco 133
Górgonas 129
   cf. tb. Medusa
Graças, *cf.* Cárites

Hades/Saturno/Plutão
   10, 14, 17, 19, 30,
   42-45, 59, 60, 69,
   70-72, 70, 74, 100,
   110, 115, 116, 118,
   133, 158, 173, 194
   Plutão, o planeta
   69, 72
   Saturno, o planeta
   207
Hades, reino de 44, 45,
   48, 74, 100, 115, 155,
   158, 195
Háemon 177
Harmonia 54, 92, 93,
   94, 136
Harpias 137, 138, *138*,
   212, 219
Hebe 58, 63, 65, 159
Hécate 87, 100, 118-119,
   118, 192
Hecatônquiros 10, 14
Hécuba 119, 192
Hefesto/Vulcano 28,
   29, 54, 63, 65, 66, 75,
   79, 80, 81, 94, 95-98,
   96, 101, 115, 152, 167,
   178, 183, 191, 216

Heitor 175, *188*, 189,
   190, 191, 192, *193*,
   194, 195, 196, 212,
   217
Hélade 34, 218
Hele 136
Helena 56, 75, 113, 114,
   173, 174, 175, 176,
   180, 183, 187, 190,
   191, 192, 199, 209
Heleno 130, 212
Hélio 14, 97, 102, 204,
   206
Hemera 10, 12
Hera/Juno 10, 36, 58,
   59, 61, 62, 63-66,
   63, 67, 68, 77, 83, 89,
   90, 92, 93, 95, 96,
   98, 104-105, 120,
   123, 126, 136, 140,
   149, 150, 155, 157,
   159, 160, 178, 179,
   183, 200, 205, 213
   Juno Moneta 63
Héracles/Hércules 17,
   37, 42, 58, 64, 65,
   94, 98, 120, 125,
   126, 127, 130, 137,
   145, 148-162, *149*,
   150, *153*, *154*, *157*,
   159, 167, 169, 170,
   172, 173, 177, 178,
   180, 181, 186, 189,
   190, 218
Heráclidas 218
Hermafrodito 54, 56,
   99, 101
Hermes/Mercúrio *35*,
   36, 41, 54, 56, 75, 90,
   96, 99-102, 99, *102*,
   109, 110, 122, 129,
   136, 137, 157, 177,
   204, 213, 216
Hespérides 157
Héstia/Vesta 10, 57-58,
   57, 73, 78
Hidra, a 125, 150-151,
   150, 152, 159, 162
Higieia 116
Hipérion 10, 14
Hipermnestra 37
Hipnos 10, 16
Hipólita, a rainha das
   amazonas 155-156,
   162, 172
   cinturão de 155
Hipólito 172, 173
Hipomedonte 177
Hipomene 146, 147
Hipsípile 137

Iasion 72
Ícaro 170, *170*
Íficles 130, 148, 160, 174
Ifigênia 90-91, 187, 198
Ífito 161
Ilitia 61, 63, 65

Ilo 38, 75
Io *35*, 35, 36, 37, 58, 90
Iolau 130, 150
Íon 34
Irene 61
Íris 101, 138, 216
Ísis 109
Ixíon 92, 123

Jacinto 82, 85, 86
Jânus 109
Jasão 115, 127, 136-137,
   139-141, *139*, *141*,
   144, 167
Javali de Erimanto, o
   151, 159
Jocasta 163, 165
Juno, *cf.* Hera
Júpiter, *cf.* Zeus

Laertes 184
Laio 163-164, 165
Laomedonte 160, 161
Láquesis 40, 145
Latino 215, 216
Lavínia 215, 216, 220
Leão (constelação) 150
Leão de Nemeia, o
   149, 162
Leda 58, 113, 114, *114*
Leneu 122
Leônidas 159
Lestrigões 203
Lete 48, 49
Leto 58, 62, 82, 83, 87,
   89, 116
Leuce 70
Licas 161
Lino 82, 85
Lotófagos 200, 201-202
Lótus 56

Maçãs de ouro das
   Hespérides 157
Magna Mater 17
Maia 58, 90, 99
Marpessa 82, 85
Mársias 84, 86, *86*, 122
Marte, *cf.* Ares
Medeia 139-141, *140*,
   141, 167-169
Meditrina 116
Medusa 66, 68, 129-131,
   128, *131*, 134
Megera 111
   cf. tb. Fúrias
Meleagro 144, 145, 147
Melpomene 117
   cf. tb. Musas
Mêmnon 191
   mênades 105, *106*
Menelau 75, 180, 183,
   184, 187, 190, 199,
   209
Mercúrio, *cf.* Hermes
Mérope 163, 165
Métis 58, 61, 77, 79

Midas 84, 105
Minerva, *cf.* Atena
Minos 44, 58, 153-155,
169, 170, 173, 215
Minotauro, o 68, 154,
169, *169*, 171, 172,
174, 204
Minta 70, 72
Mistérios eleusinos 74
Mitra 109
Mnemosine 14, 48, 58,
61, 62, 117
Moiras 6, 10, 16, 40
Musas 14, 58, 61, 62,
83, 84, 85, 86, 92, 96,
117, 122

Narciso 6, 112
Náuplio 66, 68
Nausícaa 207-208,
207, 210
Néfele 123, 136
Neleu 66, 161
Nêmesis/Fortuna 10,
16, 17, 111-113,
118, 195
Neoptólemo 16, 17, 61,
189, 192, 196
Nereidas 23, 121, 132
Nereu 23, 157
Nesso 159, 160
cf. tb. centauros
Netuno, *cf.* Poseidon
Nike 80
Ninfas 23, 88, 102, 109,
110, 121, 129
Níobe *88*, 89
Nix/Érebo 10, 12, 16,
40, 42, 48, 110, 111,
112, 119
Nó górdio 105

Oceano 14, 23, 79
Odisseu/Ulisses 44,
48, 68, 102, 138, 180,
181, 184, 186, 187,
196, 199-205, 208,
202, *205*, 206-212,
207, 214
Olímpicos 15, 17, 57, 75,
77, 80
Olimpo, Monte 20-22,
38, 51, 60, 73, 77, 94,
96, 97, 115, 135, 159,
178, 217
Ônfale 158, 162
Orestes 75, *111*, 196,
198, 199
Orfeu 10, 45-47, *46*, *47*,
137, 138
Órion 58, 90

Paládio, o 181, 184
Palamedes 184
Palas (filho de Evandro)
217
Palas o Titã 80

Pan/Silvano 86, 99, 101,
109-110, *109*, 202
Panaceia 116
Pandora 29-30, *29*, 31,
32, 33, 95, 97
Panes 122
Páris 56, 102, 175,
177-179, *178*, 180,
182, 184, 187,
190-192, 196
Partenopeu 177
Pasífae 139, 153-154,
196, 170, 204
Pássaros do Lago
Estínfalo 152, *153*
Pátroclo 189, 191, 194,
195, 217
Pégaso 134, 135
Peleu 120, 178, 183
Pélias 136, 137, 139,
140, 155
Pélops 37, 38, 75, 181,
183
Penélope 184, 199,
205, 207, 208-210,
209, *210*
Pentesileia 190-191
Perifetes 95, 167
Perséfone/Proserpina
45, 58, 62, 70, 71-72,
71, 74, 76, *76*, 100,
118, 138, 142, 158,
173, 205, 214
Perses 130
Perseu 37, 58, 126,
128-132, *128*, *131*,
148, 149
Pirene 92
Pirítoo 124, 173
Pirra 29, 32, 33
Píton 83
Plêiades 38, 90, 110, 151
Plutão, *cf.* Hades
Polidectes 128, 130
Polifemo 66, 68, 202,
202, 210, 212
Polímnia 117
cf. tb. Musas
Polinices 176, 177
Polixena 196, 197
Ponto 12, 23
Porca de Crômion, a 168
Poseidon/Netuno 10,
59, 60, 66-69, *67*, 72,
74, 77, 81, 94, 124,
129, 134, 153, 161,
167, 173, 178, 180,
181-182, 190, 198,
202, 204, 208, 214
Príamo 158, 175, 178,
179, 180, 183,
188-189, *188*,
191, 192, 195,
196
Príapo 54, 56, 99, 101
Procusto 168
Proserpina, *cf.* Perséfone

Proteu 23
Psiquê 6, 142-143

Quimera, a 133,
134-135
Quíron, o centauro
116, 125, 136, 151,
160, 168

Reia 10, 17, *17*, 18, 57,
58, 60, 63, 66, 70, 72,
106, 217
Reia Sílvia 17, 92, 95
Remo 17, 92, 95, 144,
220
Rômulo 17, 92, 95,
144, 220

Sagitário 125
Salmácis 101
Sarpédon 161
Sátiros 24, 105, 121-122,
121, *122*, 123
cf. tb. Faunos,
Satyriskoi e *Seleni*
Saturno, *cf.* Crono e
Hades
Satyriskoi 121
Selene 14, 85, 87
Seleni 121
Sêmele 52, *52*, 53, 58,
94, 103, 104
Sibila 214
Sileno 105, 121, 122, *122*
Sínis 167, 174
Sirenas 137, 138, 205,
205, 210
Siro 85
Sísifo 133, 140, 184

Taígete 151
Talia (graça) 115
Talia (musa) 117
cf. tb. Musas
Tânatos 10, 16, *16*,
71, 155
Tântalo 75
Tártaro 10, 12, 14, 17,
20, 44, 71, 72, 75,
116, 133
cf. tb. Hades, reino de
Taumas 23
Telêmaco 208, 209
Têmis 58, 61
Tenes 188
Teofane 66, 68
Tersímaco 160
Terpsícore 117
cf. tb. Musas
Tersites 186
Teseu 66, 68, 107, 115,
148, 155, 158, 165,
166-169, *168*, 171-174
Tetís 10, 23
Tétis 96, *96*, 120, 178,
183, 185, 191
Tideu 177

Tífon 10, 21-22, *22*, 134,
150, 168
Tíndaro, Pacto de 180
Tirésias 204, 205
Tiro 66
Tirso, o 103, 107
Tisífone 111
Titãs 10, 14, 20, 21, 26,
44, 71, 104, 105, 121,
157, 207
Titono 41, 161, 191
Touro de Creta, o
153-154, *153*, 169
Tríade Capitolina 78
Tritão 66, 69, 79
Turno 215-218, 219
Tykhe 112, 113

Ulisses, *cf.* Odisseu
Urânia 117
cf. tb. Musas
Urano 10, 12-15, 16, 17,
20, 54, 110
Ursa Maior e Menor
(constelações) 90

Velo de ouro, o 136, 139
Vênus, *cf.* Afrodite
Vesta, *cf.* Héstia
Virgens Vestais 95, 220
Voluptas 143
Vulcânia, festival da 98
Vulcano, *cf.* Hefesto

Xuto 34

Zetes 160
Zeus/Júpiter 10, *17*,
18-22, *18*, 26-27, 29,
30, 31, 33, 36, 38, 41,
42, 51, 52, 53, 54, 55,
58-62, *59*, *61*, 63-66,
66, 67, 71, 72, 74,
77, 78, 79, 80, 82, 83,
88, 90, 92, 93, 94,
98, 99, 103, 104, 113,
114, 116, 117, 123,
126, 128, 130, 133,
135, 137, 143, 146,
148, 150, 151, 158,
159, 173, 177, 178,
182, 183, 194, 200,
201, 205, 206, 207
Zeus Políade 60

Sobre o autor

Philip Matyszak possui doutorado em História Romana pelo St. John's College, Oxford. Autor de vários livros sobre o mundo antigo, incluindo o bem-sucedido *Legionary: The roman soldier's (Unofficial) manual* e *Ancient magic.*

Além de escritor, ele também ensina História Antiga para o Instituto de Educação Continuada da Universidade de Cambridge.

Leia também!